МЕЛОДИИ ЛЮБВИ

ТАТЬЯНА ТРОНИНА

На темных аллеях

ЭКСМО

МОСКВА
2013

УДК 82-3
ББК 84(2Рос-Рус)6-4
Т 73

Оформление серии *С. Власова*

Серия основана в 2011 году

Тронина Т. М.

Т 73   На темных аллеях : рассказы / Татьяна Тронина. — М. : Эксмо,
2013. — 320 с. — (Мелодии любви. Романы Т. Трониной).

ISBN 978-5-699-61920-7

Перед вами сборник рассказов Татьяны Трониной. В каждом из них — история
любви, страстной, жертвенной, романтической, убийственной, короткой или проне-
сенной сквозь годы.

История Егора, женившегося на странной девушке Лиде, который любит ее
и ненавидит одновременно, мечтает о другой жизни, но страдает, когда его мечты
воплощаются в реальность. История американца Дика, приехавшего в Россию на
время и оставшегося навсегда...

Каждый читатель найдет в этом сборнике что-то свое.

УДК 82-3
ББК 84(2Рос-Рус)6-4

ISBN 978-5-699-61920-7

НОЧЬ ВДВОЕМ

...Дождик не дождик, а так, какая-то нудная морось. Октябрьский вечер дышал знобким холодом. От фонарей по черному асфальту расползался медными брызгами свет, но не разгонял тьму, наоборот — он своим призрачным мерцанием приближал тоскливую осеннюю ночь.

Промозглую тишину нарушал только стук каблучков. Последняя прохожая торопилась домой...

Это была молоденькая девушка, очень молоденькая — недаром каблучки ее выбивали торопливую, порывистую, неуверенную дробь, словно сами туфельки удивлялись тому, что их хозяйка рискнула столь поздно выйти на улицу.

Тоненькая, невысокая, в коротком сером пальтишке, в сером берете, натянутом до бровей, с бледным личиком и бледными губами — девушка оглядывалась по сторонам с сердитым, расстроенным выражением, словно заранее готовясь закричать надоедливым прохожим — «отстаньте же от меня!».

Но никто и не думал ей надоедать, улицы были пусты, и это обстоятельство раздражало девушку не меньше.

...Каким образом это невинное создание оказалось посреди ночного города, да еще без провожатых? Непонятно. Но, наверное, даже самая благоразумная из девиц хоть раз в жизни, да и попадает впросак, переоценив свои возможности. Одна досадная мелочь начинает цеплять за собой другую — например, засиделась в гостях у подружки, заболталась, а потом опомнилась — бог ты мой, а уже ведь поздно! А проводить — некому, и встретить — вдруг тоже некому, остаться — никакого желания, нестерпимо хочется домой, где все свое и родное... Ну и вот, в результате взбалмошная девица оказывается на пустынной улице, ночью, одна, и ее каблучки исполняют на мокром асфальте прерывистое стаккато досады и упрямого отчаяния.

...Рядом, по широкому шоссе, на большой скорости иногда проезжали машины, заставляя девушку вздрагивать и тесниться ближе к домам. Некстати ей вдруг вспомнились сводки криминальных новостей — случалось, что нехорошие люди иногда заталкивали девиц к себе в авто, увозили далеко... Ужас-ужас. С некоторым облегчением девушка свернула на соседнюю улочку — маленькую, узенькую. Тут машины не ездили и было совсем тихо, но эта тишина теперь успокаивала — никого же вокруг, значит. И правда, даже любителей выпить пива на лавочке не наблюдалось, эта холодная осенняя ночь разогнала всех по домам! Жилые дома вокруг, и свет еще горит в некоторых окнах — так мирно, успокаивающе... Напоминая, что и девушку ждет уютное гнездышко.

Но тут впереди неожиданно возникло препятствие — дорога была перегорожена железной сеткой. За сеткой, в свете фонарей жирно блестела мокрая земля, чернел вскрытый асфальт. Какие-то ямы с торчащими трубами...

Девушка замерла, с изумлением рассматривая препятствие — этим днем его еще не существовало!

Ладно, плевать. Можно дворами обойти. Сжав губы, отчаянно сведя брови, девушка повернула в проулок.

Тут стояла почти кромешная тьма. Пахло холодной сыростью. Девушка пробежала вдоль офисного здания с черными окнами, еще раз свернула. Дальше стоял особняк — старинный, пустой, весь в паутине строительной сетки — забытый, ждал который год реставрации. Какие-то звуки из окон — померещилось? Страшно... Кто там, в темноте — призраки или живые?

Бегом, бегом. Девушка свернула в еще один заброшенный проулок и замерла, чуть не споткнувшись, растопырив локти. Дорогу вместе с тротуаром перегораживали машины. Очередное препятствие или нет?

...Сначала-то она совсем не испугалась, поскольку те две длинные черные машины, что стояли поперек, выглядели чрезвычайно солидно. На подобных авто должны разъезжать, по меньшей мере, дипломаты! Кроме того, возле машин стояли люди, тоже на первый взгляд солидные и строгие. Один из них находился чуть в стороне, в свете скрещенных фар — как будто радушный хозяин вышел проводить гостей... Да, на первый и очень беглый взгляд ничего страшного в этой картине не было, но только на первый... В следующее мгновение девушка ощутила неясную тревогу — «гостями» являлись одни мужчины, все в черном, с каким-то уж слишком однотипным выражением лиц. Мрачным и суровым.

Один из этих мужчин властным голосом приказал что-то, другой вдруг поднял руку, и раздался негромкий треск, вспышка... А тот, которого девушка приняла сначала за радушного хозяина, схватился за грудь и упал — так, что свет от фар лег ему на спину крестом.

Треск прозвучал не слишком громко, а вспышка не выглядела слишком яркой, поэтому девушка сначала не поняла ничего, она по инерции (скорей-скорей, домой!) сделала еще пару шагов, словно кто неведомый толкал ее в спину... И оказалась в свете фар. Совсем близко к упавшему «хозяину».

Она опустила голову и увидела, как струйка чего-то густого и темного, выползшая из-под тела, коснулась мыска одной из ее туфелек. Над струйкой в холодном воздухе курился легкий-легкий парок.

Лишь тогда девушка смогла остановиться и осознала, что на ее глазах только что убили человека. Треск и короткая вспышка — были выстрелом.

Машинально, подчиняясь привычке (а что еще оставалось делать в экстремальной ситуации?), девушка потянулась к своему карману и вытащила из него мобильный телефон.

Но люди у машин тоже не дремали, мгновенно встрепенулись, заметив припозднившуюся прохожую. Главарь, тот мужчина с властным лицом, обернулся к киллеру и показал на девушку пальцем.

Слов его девушка не расслышала, хотя находилась совсем рядом, — страх лишил ее на время слуха. Но ей и не нужно было ничего слышать, внезапным наитием она поняла, что ее тоже должны сейчас убить. Потому что она — свидетельница.

И, пока киллер поднимал руку во второй раз (точно как в кино, в замедленной съемке!), девушка, даже не вскрикнув, развернулась и молнией помчалась назад — в одно мгновение жажда жизни придала ей ускорение. И вот уже к ней вернулся слух...

Приятный, глуховатый звук мотора сзади. Едут? За ней?

Значит, на широкую улицу выбегать нельзя — инстинктивно догадалась девушка, потому что на прямой дороге машины догнали бы ее в один момент. Она старалась держаться возле домов и при первой возможности свернула в очередной темный переулок.

Каблучки ее теперь колотились об асфальт практически без пауз — дробное стаккато превратилось в непрерывное легато. Девушка нестерпимо хотела жить! Ибо в тот момент, когда пистолет поднимался во второй раз, целясь в нее уже, она поняла, что до того и не жила вовсе, что век ее был короче однодневного полета бабочки. А любовь? Господи, она же еще никого не любила даже...

Ничего не сделано. И ничего еще не сбылось. Обидно, блин!

...Она снова свернула, петляя, еще раз повернула куда-то, молнией обогнула какой-то длинный, темный, пропахший коммунальными ароматами тихий дом, типа общежития — а днем он, наверное, гудит, как огромный муравейник... Перед глазами в сумасшедшем танце плясали черные и желтые круги — это ночь мешалась с мертвым искусственным светом.

Она уже очень далеко убежала от того места, где произошло убийство, она даже смогла вполне ощутить, что во времени и пространстве сумела оторваться от страшного события. Только тогда она позволила себе чуть замедлить бег... Неужели избавилась от погони?

Девушка обернулась, с мольбой вгляделась в осеннюю ночь — тихо, безлюдно... но это и хорошо! Вздох облегчения уже был готов вырваться из ее груди. Она остановилась, дрожащими пальцами принялась нажимать кнопки на телефоне, который все еще сжимала в ладони... Надо срочно позвонить домой! Но не успела — вдруг заметила черную, чернее этой ночи, приближающуюся тень. Девушка сразу узнала этот плащ, эти скупые, размеренные движения — о, их уже не забыть, наверное, никогда... Телефон выскользнул из ее влажной ладони и хрустнул, разлетаясь по асфальту осколками пластика.

И тогда девушка снова побежала, стремясь обогнать время. Она ждала выстрела сзади... Надо было кричать, звать на помощь, но горло стиснул ужас, и вместо крика из него вырывалось только хриплое дыхание, смешанное с каким-то жалким, ничтожным писком.

Девушка бежала, поминутно оглядываясь, и каждый раз все надеялась, что черная фигура сзади исчезнет.

Он же, ее преследователь, как бы и не торопился даже, словно не сомневался — жертва от него не ускользнет. И это его методичное, упорное движение вперед напоминало механику робота, машины. Он, по сути, и был машиной, запрограммированной убивать. Киллер же! — напомнила себе девушка. Убил того мужчину по приказу, теперь по приказу должен убить и ее, как свидетельницу. Ничего человеческого, живого, думающего самостоятельно, сочувствующего не проглядывало ни в одном его жесте.

Но он не стрелял сейчас — это было странно. Почему? — опять мелькнуло в голове у девушки.

Наверное, по каким-то особым, бандитским соображениям, неизвестным ей. Возможно, он хочет догнать непрошеную свидетельницу и своими безжалостными лапищами пережать ее горлышко. Оно тихо хрустнет, и — все. Нет выстрела, нет пули, нет улик. Да, точно. Кто потом догадается, что эти два убийства на разных улочках связаны между собой?

Киллер не отставал. И в его движениях по-прежнему не чувствовалось усталости. А в голове у девушки тем временем завертелись отрывки воспоминаний из когда-то прочитанных детективов. Ах, как просто было тогда листать страницы и морщиться иногда недовольно — хм, тут саспенса не хватает, а вот тут — затянуто. Но зато теперь она сама — в центре криминальной разборки! И роль у нее незавидная — роль жертвы.

Вдруг девушка увидела яркую неоновую вывеску, под ней — приоткрытую дверь. Малиновый свет, льющийся из щели, музыка... Там — люди!

Не помня себя от радости, девушка доковыляла из последних сил до волшебной двери, влетела внутрь.

И очутилась в обыкновенном ночном кафе.

Дрянное заведение, надо сказать. Убогое. Поцарапанные пластиковые столики — даже клетчатых скатерок, обычных в любой забегаловке, не могли на них накинуть. Парочка влюбленных в углу... размалеванные девицы за другим столиком... бледный тип с неестественно густыми бровями потягивал какую-то фиолетовую жидкость, больше похожую на чернила, нежели на питье. За стойкой снулый бармен перетирал стаканы... ну да, что же еще делать этим барменам!

Все это девушка ухватила одним взглядом, а в следующее мгновение — в кафе зашел ее преследователь.

Может быть, все это только сон?

Девушка дернулась к стойке, шепотом попросила у бармена телефон. Бармен поморгал недоуменно, пожал плечами. Сообщил, что телефон — только служебный, в комнате администратора, а администратора нет.

Ну да, сейчас же у всех сотовые... Внезапно девушка осознала, что она упустила свой шанс. Если бы она вбежала внутрь, с самого начала зовя о помощи и крича — ей бы поверили. А если она сейчас, спустя драгоценные секунды и минуты поднимет шум, то... Странновато это будет выглядеть. Не поверят — вбежала, покрутилась, поспрашивала и потом только на помощь стала звать. Пожалуй, за сумасшедшую примут. Или же... Или она закричит, а киллер возьмет, да и перестреляет тут всех?

Тогда девушка попросила стакан чая. Бармен налил ей теплого желтого чая, глядя при этом рыбьими, мутными глазами. Девушка решила: надо сесть и подумать немного, что делать дальше — пока она еще не дала киллеру повода нападать здесь и прямо сейчас. А в данный момент... надо передохнуть немного.

Пошарила в кармане, положила на стойку пару металлических монет — они громко звякнули, заставив девушку вздрогнуть. Она села за столик у стойки, на самом виду...

Ее преследователь словно читал мысли своей жертвы — он тоже был не прочь отдохнуть. Заказал себе кружку пива и расположился возле двери, отрезая путь к отступлению.

Ах, какое наслаждение — сидеть... Ноги у девушки ныли невыносимо. Все эти дурацкие каблуки!

Постепенно болезненная дрожь, сотрясавшая все ее тело, утихла. Девушка, прихлебывая сладковатую бурду, осторожно косилась на своего преследователя.

А вот он не смотрел на девушку, хотя и сидел лицом к ней, он уставился в какое-то неопределенное место на стене. Так обычно ведут себя сильно задумавшиеся люди. Впрочем, никак нельзя положиться на это расслабленное отрешение, только пошевелись — молниеносно прихлопнет, насмерть. Точно муху.

Она искоса рассматривала его.

Итак, это был мужчина лет тридцати пяти — сорока, с широко развернутыми и приподнятыми плечами — как у спортсмена. Кружка пива почти терялась в его огромных, твердых ладонях. Черные волосы, чуть тронутые сединой, были густы и аккуратно подстрижены. Тщательно выбрит, черты лица правильны и красивы, хотя и вполне заурядны — лицо актера второго плана...

В общем, ничего отталкивающего (формально) в его внешности не было, да еще этот спокойный взгляд, устремленный в пространство... Как будто отдыхает человек. А ведь он наверняка думает сейчас о том, как лучше и удобнее прикончить свою жертву. О нет, он не на отдыхе, он на работе!

Внезапно одиночество девушки оказалось нарушенным. Тот субъект с густыми бровями заинтересовался ею и подсел поближе, за ее столик. Бедняжка встрепенулась, теша робкую надежду — а вдруг этот бровастый поможет ей? Субъект не представился, но зато с ходу, как будто давний и близкий знакомый, заговорил фамильярно. Потом, как будто невзначай, накрыл своей ладонью ее руку. Девушка машинально улыбнулась (убрать руку или нет?), дребезжащим голоском ответила дежурной любезностью и, не снимая с лица улыбающейся маски, зашептала о своей беде. Тип с бровями вначале ничего не понял, но постепенно, когда он вник в ее отчаянный лепет — об убийстве, человеке в черном (вон тот, да-да, тот самый, что за столиком у дверей!), о пистолете, о просьбе позвонить куда следует (у вас ведь наверняка есть сотовый?), — фамильярное выражение стерлось с его лица и он сам отдернул руку.

Грубым и испуганным голосом бровастый ответил, что неприятности ему не нужны — у него, дескать, своих и так полно, и вообще, каждый за себя, каждый за себя, детка… выпутывайся сама, адью.

Бровастый в один глоток допил фиолетовую жидкость и нервной походкой заторопился к двери, словно вспомнив о срочном деле.

Убийца, не отрывая взгляда от трещины на стене, усмехнулся и слегка качнул головой. Похоже, он даже посочувствовал девушке.

Она еще раз осторожно огляделась. Девицы за соседним столиком ответили на ее взгляд раздраженными гримасками. Плохие девочки. Испуганный, растерянный и притом слишком приличный вид девушки, сидевшей неподалеку, — чрезвычайно им не понравился. Да, вероятно, они не относили себя к маменькиным дочкам и терпеть не могли таковых.

Бог с ними... Девушка заметила дверь в туалет. Точно, за стойкой нависала портьера, а за ней был виден коридор и дверь со знакомым символом на табличке! Слабая надежда затеплилась в сердце жертвы. Стараясь не делать резких движений, будто она находилась в одной комнате со злобной собакой, девушка медленно встала из-за стола и направилась в сторону коридора.

Убийца за столиком не пошевелился. Только опять усмехнулся, кажется.

...К несчастью, туалет оказался маленьким глухим закутком с хлипкой дверкой, и — никакого намека на окно, в которое можно было бы выбраться. Глухие стены. Девушка улыбнулась растерянно, зачем-то спустила воду и выскользнула наружу.

Выглянула из-за портьеры — в зале стояла тишина, ничего не изменилось. Все те же лица — бармен, девицы, влюбленные, убийца с кружкой пива.

А вот слева... Девушка заметила еще коридорчик, ведущий в какие-то подсобные помещения — кухню, вероятно. Остатки съедобных запахов защекотали ее обоняние... А вдруг там, дальше — второй выход? Осторожно, осторожно, не стучать каблуками. Девушка сделала один шаг влево, потом еще один шаг.

...Она мчалась по пустым полутемным комнатам и дергала все двери подряд, пока одна из них не подалась и в лицо ей резко не ударил холодный воздух.

Задний двор. В свете фонаря — помойка, глухие кирпичные стены и две огромные крысы, прыснувшие от мусорных баков в разные стороны.

Но другого пути, впрочем, не существовало, и девушка побежала вдоль грязной сырой стены, испещренной убогими надписями. Она бежала на самых мысочках, стараясь ни единым шорохом не нарушить тишину этой мрачной ночи.

Сзади густела тишина, только вот кошка как будто мяукнула... Или скрипнула дверь за киллером, бросившимся в погоню?

Высотный жилой дом перегораживал дорогу, и дверь в подъезд была открыта, точно приманивая... или опять заманивая.

Девушка долго не думала — юркнула в подъезд и побежала вверх по ступеням. Темные пролеты, опять рисунки на стенах. Пахнет кошками и жареным луком...

Лихорадочно шаря по стене, девушка отыскивала возле дверей кнопки звонков и изо всех сил нажимала на них, а потом торопилась дальше, боясь потерять время. Вдруг та дверь, которая откроется и подарит ей спасение, находится этажом выше...

Звонки трещали коротко и пронзительно, но тишины за дверями они не могли нарушить. Люди или спали крепко, или были абсолютно равнодушны к тому, что творилось снаружи, они, наверное, как и тот субчик из кафе, не хотели лишних неприятностей. Потому что ночные звонки — они всегда связаны с неприятностями.

Девушка потеряла счет этажам. Она задыхалась. Склонилась над перилами и... и увидела внизу тень — огромной летучей мышью, беззвучно, тень мчалась по ступенькам вверх. Он. Он никуда не исчез, этот человек с профилем актера второго плана.

Девушка вскрикнула едва слышно и бросилась бежать от надвигающегося кошмара тоже вверх. Но через несколько пролетов она заметалась по площадке последнего этажа. В двери она уже не звонила и даже кричать не пыталась, потому что знала — бесполезно.

В своих метаниях она спиной наткнулась на приставную железную лестницу, ведущую куда-то вверх, к потолку.

Развернулась и, цепляясь дрожащими руками за перекладины, стала карабкаться по лестнице. Обнаружила люк в потолке, ощупью нашла задвижку, рванула ее, потом затылком и плечами уперлась в дверцу. И та, к ее безумной радости, поддалась. Девушка откинула люк, чувствуя, как пальцы купаются в многолетнем мягком прахе, покрывающем пол чердака.

На чердаке, как ни странно, было светлее, чем в подъезде — наверху, под черными балками, мерцала тусклая лампочка... Пахло голубями, старой мебелью.

Только сейчас девушка поняла, что сама загнала себя в ловушку. Уж здесь киллер расправится с ней без всяких проблем! Она хотела закрыть люк, но задвижки со стороны чердака не оказалось. И забаррикадироваться невозможно — вокруг только старые плетеные кресла, ветхие этажерки — все такое легкое, ненадежное. Детская коляска, стул без сиденья...

Сдерживая рвущиеся из груди рыдания, девушка бросилась на другой конец чердака, между тем как люк за ее спиной скрипнул, открываясь во второй раз, и до ушей девушки донеслось глубокое, мерное дыхание ее преследователя.

И вот он уже тоже барахтается в нежной пыли, и вот он снова на ногах и топает вслед за своей жертвой...

Девушка прыгала по скрипучим доскам, инстинктивно отбрасывая попадающийся на ее пути хлам за спину, под ноги своему преследователю, пытаясь тем самым хоть на секунду задержать его. Она по-прежнему очень хотела жить.

Глазами девушка ощупывала мертвенную полутьму вокруг в поисках другого выхода, и когда все-таки увидела его — такой же люк в полу, — то снова возликовала безмерно и из последних сил рванула этот люк на себя.

Он не поддался!

Ужасная мысль мелькнула у нее в голове — а что, если и этот тоже запирается только снаружи?..

Она застонала и еще раз рванула люк на себя, мысленно обращаясь к Богу, еще к кому-то — кто до этой ночи хранил ее маленькую жизнь... И люк открылся. Мощное, ритмичное дыхание ее преследователя между тем уже слышалось рядом.

Девушка не спустилась, а скорее — рухнула вниз, задерживая свое падение только руками, которые продолжали инстинктивно цепляться за ступени железной

стремянки, ведущей вниз. Еще одна перекладина. Один шаг — и вот она, ровная поверхность.

Девушка успела.

Вернее — она _почти_ успела спуститься вниз с чердака на последний этаж соседнего подъезда. Почти — поскольку вслед за ней в подъездную полутьму потянулась сильная рука, и эта рука в жадном и нетерпеливом рывке успела ухватить девушку за воротник пальто.

Девушка повисла в сумрачном пространстве над полом. Она подняла голову вверх. Лицо мужчины было в полуметре от ее лица. Двое смотрели друг другу в глаза. Она — с мольбой, отчаянно, он — с холодным любопытством.

Это длилось пару секунд. Убийца не смог подтянуть жертву к себе. В этот раз не успел он — потому что девушка просто подняла руки и выскользнула из собственного пальто. Так ящерки отбрасывают хвост, не задумываясь ни на секунду.

...Она уже бежала вниз по ступеням, мимо новых молчаливых квартир, и с каждой ступенькой в ее душе росли ожесточенное упрямство и надежда. Это второе дыхание открылось у нее — теперь, когда она надеялась только на собственные силы.

Дверь второго подъезда выходила на широкую улицу — это хорошо, что не в тот глухой двор. От долгой погони бегунья покрылась испариной — и, выскакивая из подъезда, она ожидала, что холод пронзит ее всю, мокрая рубашка на теле заледенеет моментально.

Но осенняя промозглая сырость не ощущалась — только бодрящая свежесть, а с ней — возможность бежать легко и быстро.

Девушка не оглядывалась, она уже привыкла к тому, что в спину ей, не отставая, дышит опасность, ей достаточно было ловить за собой топот и мерное, глубокое дыхание преследователя, и машинально, на слух, определять расстояние, отделяющее их друг от друга.

Пейзаж постепенно менялся — фонари все реже попадались на ее пути, дома вокруг становились все более безликими и огромными. Окраина. Спальный район.

И опять, как назло, — ни одного прохожего. Неверные мужья уже давно вернулись домой, а собачникам еще рано выгуливать своих питомцев. Час безвременья...

Сейчас спасти девушку могла только быстрота ее ног. Два неуловимых движения — и туфли были отброшены в сторону.

Теперь она бежала босиком, каблуки не мешали ей, пальто не стесняло движений. Так маленькая юркая кошечка легко ускользает от груды мускулов — злобного бульдога.

Дыхание бегущего за ней человека становилось все тяжелее и громче — и теперь девушка позволяла себе останавливаться на несколько мгновений, чтобы отдышаться и осмотреться по сторонам. Внезапно она заметила, что черный ночной воздух становится прозрачнее, словно кто-то разбавляет его молоком. Неужели рассвет? А ей казалось, что прошло всего полчаса после убийства, свидетельницей которого она стала.

Город кончался — впереди сплошной неровной полосой растянулся лес. Уже не останавливаясь, девушка мчалась к нему — ей казалось, что по ковру мягких опавших листьев она сумеет убежать далеко-далеко и никто не найдет ее в лабиринте деревьев.

Вероятно, догоняющий ее человек почувствовал то же самое — насколько ей лес показался желанным, настолько он не желал оказаться в нем, в глухой, гасящей все звуки полутьме. Какое-то шестое чувство заставило девушку оглянуться, и вовремя — убийца достал из кармана пистолет и уже поднимал руку. Знакомым блеском сверкала в этой руке сталь. Тоска...

Девушка охнула; беспомощно, бездарно споткнулась — и со всего размаха полетела на мокрую скользкую дорогу — перед самым лесом.

И, падая, она почувствовала, что силы вдруг покидают ее, что вспышка страха уничтожила последние из них — в отличие от того, первого раза, когда она сумела стать стремительнее времени. Близость смерти каждый раз действует по-новому.

Ее преследователь передумал стрелять, сунул пистолет обратно в карман и даже замедлил шаги — теперь он мог догнать ее без проблем. Его огромные руки при каждом шаге вырывались вперед, точно заранее готовились задушить свою жертву.

Девушка не ощущала боли от удара о землю — вероятно, она и не ушиблась даже, впрочем, сомнительно называть такие падения удачными. Все ее тело точно парило в какой-то невесомости, оно перестало подчиняться ей, хотя мозг посылал нетерпеливые сигналы — бежать! бежать!

Она могла только тихонечко всхлипывать — жалко, беспомощно, устало.

Когда убийца был от нее уже в нескольких шагах (по времени — пара минут до смерти, наверное), она стянула с головы свой серый беретик и провела им по грязному и мокрому лицу. Этакая прилежная паинька, которая даже смерть хочет встретить с чистой мордашкой.

Под серым беретом, оказывается, пряталась копна рыжих, нет, даже огненных волос. В предрассветном, мутном сумраке они сверкнули, как встающее из-за горизонта солнце.

Убийца остановился в полуметре от нее. Он переводил дыхание перед тем, как шагнуть в последний раз. Эти яркие волосы почему-то смутили его — до того он видел в девушке лишь невзрачную серую мышку, которую совсем не жалко прихлопнуть. Эти волосы оказались слишком яркими, слишком красивыми. «Так вот ты какая!» — озадаченно подумал он. А еще он не мог не восхититься ее стойким характером, ее силой, ее жаждой жизни.

Она плакала, он стоял над ней... Кончалась ночь.

Вдруг мужчина наклонился и поднял девушку своими железными руками — так берут на руки детей, чтобы успокоить. Положил ее голову к себе на плечо.

Он шел по лесной тропинке и напевал что-то смутное низким, грубым, непривычным к нежности голосом — «аа-ааа, аа-ааа...» — и баюкал ее, и баюкал. А она плакала, лежа щекой на его плече.

Он больше не мог причинить ей зла. После проведенной вместе ночи они уже не были чужими друг другу.

АМАЗОНКА

Лифт был сломан.

И толку-то — досадовать теперь? Эмоциями делу не поможешь. Поэтому, подпрыгнув и сместив рюкзак за плечами на нужное место, Катя бодро подхватила лыжи и связку громоздких ботинок (в которых так легко было кататься на горных склонах и которые так неудобно тащить в руках) и методично затопала вверх по лестнице.

Забравшись, наконец, на свой этаж, она вся взмокла, но ничуть не устала. Мышцы, натренированные на Домбае, работали без напряжения — ведь их хозяйке было только девятнадцать.

Открыла дверь Даша, старшая сестра, потрепала за волосы и сварливо заметила, что «ты, Катька, провоняла вся в этих горах». От лыж и рюкзака и правда несло смолой и костром, и еще тем особым запахом, которым всегда пропитываешься в походах и который столь непривычен и странен для всякого домоседа.

Катя запихнула свое снаряжение в кладовку и только потом заперлась в ванной.

Перед тем как включить душ, она услышала из-за двери голос Дашиного мужа, Мити. Значит, он тоже был дома. Кажется, зять спросил: «Катя вернулась?»

— Катька, ты есть будешь? — крикнула с кухни Даша.

— Нет!

Катя ответила так, хотя была чудовищно голодна.

...Родители назвали их именами прелестных сестер из романа Алексея Толстого, правда, Катя — младшая. У них была разница в одиннадцать лет, и они совершенно не походили друг на друга. Даша — пухлая невысокая болтушка, ленивая и самоотверженная одновременно, любительница покричать на своих близких, впрочем, без всякой злобы, кудрявая и веселая — словно опереточный Керубино. Молодая женщина носила цветастые платья, мазала губы помадой малинового цвета и обожала парфюм с фруктовыми нотками.

Катя — выше сестры на целую голову. Она редко смеялась и никогда не плакала. Свои темные прямые волосы она стригла под мальчишку. И духами почти не пользовалась. Круглый год ходила в джинсах и майке, казалась неуклюжей и вялой — но это только на первый взгляд. И только в городе. В походах Катя выглядела совсем по-другому. Скупые, точные движения, грация дикой кошки... Мускулы вздувались на ее руках, мощно двигались бедра. Однажды летом на Алтае она чуть не задушила своими ногами некоего жителя гор, довольно крупного мужчину — когда тот без приглашения вздумал ранним утром залезть в Катину палатку. Как сайгак потом убегал прочь...

Родители Кати и Даши умерли очень рано. Катю воспитала старшая сестра с мужем Митей.

Митя. Митя... Пусть она умрет от голода, но оттянет момент встречи с ним.

Поэтому после душа Катя быстро проскользнула к себе в комнату, юркнула в постель и надела наушники. Что она слушала, какую музыку? А все равно какую, лишь бы погромче, лишь бы не услышать невзначай *его* голос. Катя даже пропустила тот момент, когда прибежала из школы Милочка, племяшка, и что было сил забарабанила в закрытую дверь.

— Катя, Катя! У меня новая кукла! — отчаянно и страстно кричала девочка. — Открой, я покажу, как она умеет разговаривать!.. Она — интер... интерактивная!

* * *

Они все-таки столкнулись нос к носу утром, на кухне, у плиты. Даша и Милочка уже ушли.

— С приездом, — своим глухим голосом сказал Митя.

В ответ Катя промычала что-то. Он продолжил пить чай. Наверное, только что пришел с дежурства. Сцепив зубы, девушка стремительно залила геркулес кипятком, плеснула в тарелку немного оливкового масла. Когда она натирала себе морковь, то сломала на мизинце ноготь.

— Опаздываешь? — голос у него был тихий, невнятный, без всяких интонаций. Он допил чай и теперь мыл чашку.

За что его Даша любила? Серый, невзрачный. Никакой. Терапевт!

Катя пожала плечами. Она никогда не смотрела Мите в лицо и умела разойтись с ним в самом узком месте, даже не прикоснувшись. Он никогда ничем не пах — был чистюлей и ненавидел всякую парфюмерию, но, проскальзывая мимо него, Катя старалась не дышать, даже предощущение того, что она может уловить то легкое тепло, которое исходит от каждого человека вблизи, *его* тепло — приводило ее в ужас.

Зять, наконец, покинул кухню.

Катя поставила тарелку со своей диетической стряпней на стол, хотела сесть... Но села на другой стул — не на тот, где он только что сидел. Она физически не могла это сделать — занять пространство, в котором только что находился он, Митя. Ведь это как будто слиться с ним! Девушка ела геркулес с морковью и тихонько стонала, в нос...

Сегодня у нее было свидание — с тем, из похода. С Данилой.

...Они с молодым человеком погуляли по слякотной, сонной Москве, потом зашли в кафе. Было странно видеть друг друга в городе, странно чинно ходить по улицам, говорить на отвлеченные темы — после гор, лыж, полетевшего крепления, раскаленного чая на морозе из термоса... Данила радовался Кате, такой новой, такой другой — городской, почти незнакомой, хорошенькой в беличьей шубке и беличьем задорном берете. Беззащитной и слабой сейчас на вид. Кате было немного совестно — она еще не понимала, рада она сама Даниле или нет. Ее смущала его красота, сила и едва сдерживаемая, неуклюжая влюбленность, которая сквозила в каждом жесте молодого человека.

— Приходи ко мне завтра, — вдруг, не сдержавшись, сказал Данила. Сказал и побледнел до синевы.

Кате показалось, что вместо кофе у нее в желудке перекатываются ледышки.

— Хо... хорошо, — неуверенно ответила она. Данила не сдержался, неловко и пылко обнял ее посреди улицы. Он-то точно был в нее влюблен. Очень.

Следующее утро, кажется, началось точно так же. Катя вышла на кухню, взяла пакет с геркулесом... Митя сидел на корточках возле умывальника, орудовал гаечным ключом. Рядом валялись его серые шлепанцы.

— Минутку подожди, — пробормотал он, не оборачиваясь. — Что-то труба течет...

У него были мягкие, слабые волосы, сквозь которые уже просвечивала кожа головы. Тренировочные штаны, голубая майка. Чистая бледная шея, напряженные мышцы рук. Урод. Убогий. Старый. Никакой. Терапевт. Неудачник. Лузер!

— А я сегодня в гости иду, — вдруг сказала Катя.

Митя ничего не ответил, но его плечи словно окаменели.

— Его зовут Данила. Мы познакомились в походе, ему двадцать два. Сказал, что дома у него никого не будет.

Было слышно, как капли воды шлепаются на кафельный пол. Катя поставила коробку с геркулесом на стол, повернулась:

— Митя, если ты скажешь, я не пойду никуда.

Он молчал.

Она отвела глаза и произнесла:

— Через семь лет Милочка кончит школу. У нее будет своя жизнь. Ей уже не будут нужны ваши жертвы, ты сможешь жить для себя. Я буду ждать... семь лет. Если ты скажешь.

Он молчал, не двигался.

Катя вернулась к себе в комнату, быстро оделась, потом вышла из дома...

У нее было вполне реальное чувство, что она сходит с ума.

Падал снег, солнце пряталось за серыми облаками, но мороза не ощущалось — только промозглая, неподвижная сырость. На бульварах гуляли собаки и дети. Катя слепила маленький снежок, подержала в руках — он стал быстро таять... Тогда она принялась лепить из него снеговика.

Весь день она провела здесь, на бульваре, среди людей. Сотовый телефон звонил каждые пять минут, на экране светилось имя абонента — «Данила».

...Она вернулась домой только в четвертом часу, в сиреневых, ранних зимних сумерках. Дома стояла тишина, только на кухне мерно капала вода.

Катя бесцельно побродила по комнатам, потом решила заглянуть на кухню.

Весь пол был засыпан геркулесом. Девушка направилась в кладовку — маленькую темную комнатку в углу, — чтобы взять веник, и остановилась.

Ее опущенные вниз глаза вдруг наткнулись на босые ноги, которые раскачивались сантиметрах в двадцати над полом, над пустыми серыми шлепанцами. Катя схватилась за горло и упала на колени.

Она хотела поднять глаза туда, где в полутемной кладовке должно находиться его, Митино лицо, но не могла. Тогда она губами потянулась к этим босым ногам и тоже не смогла прикоснуться к ним. Попыталась прижаться к ногам щекой... И опять не смогла.

С ней случилась истерика. Все решили — из-за того, что девушка первой наткнулась на самоубийцу.

...Потом, конечно, она пришла в себя. Довольно скоро. Примерно через месяц после похорон Мити. По-прежнему Катя ходила в походы, ломала ноги на горных склонах, спускаясь на байдарке по Ангаре, однажды чуть не утонула... Все было хорошо.

Прошло семь лет.

Милочка, племяшка, выросла, окончила школу. Дома отмечали ее выпускной. Катя смеялась, обнимала Милочку. Пригубила на радостях даже шампанского (хотя никогда не пила и ела лишь только то, что было полезным и здоровым).

А осенью, в сентябре, когда Милочка уже на первом курсе училась, Катя умерла. Случилось это так — молодая женщина гуляла по парку одна. Разгребала ногами шуршащую листву, улыбалась, что-то шептала себе под нос. Потом вдруг упала — лицом прямо в опавшие листья. И — все.

...Она лежала в больничном морге, прикрытая простыней, с высоко поднятой, как у всех мертвых, грудной клеткой.

В той же комнате, рядом, сидел молодой патологоанатом, писал посмертный эпикриз. Эта покойница смущала его, раздражала — доктора часто относятся к мертвым, как к живым.

Вошел Попов, санитар, самый циничный человек в больнице, циничный до такой степени, что все давным-давно перестали на него обижаться.

— Цигель-цигель, ай-люлю! — с намеком произнес санитар, показывая наручные часы. — Пора, нас ждут великие дела. Трубы горят.

— Все, сваливаем, — патологоанатом отбросил ручку и привычно пошел мыть руки — тут же, в прозекторской, находился умывальник.

Санитар ждал товарища, прислонившись к косяку. Потом кивнул в сторону накрытого простыней тела, спросил лениво:

— Что сегодня?

Молодой доктор улыбнулся, готовясь заранее избавиться от преследовавшего его неотвязчивого, смутного раздражения. Все же легче, если с кем-то поделишься! Тем более с Поповым. Сейчас тот что-нибудь отмочит...

— Обширный инфаркт. Кстати, глянь. Интересный случай, — сказал доктор и откинул простыню.

— А что?

Перед ними лежало обнаженное тело Кати — с зашитым разрезом от горла до низа живота.

— Прикольно... Красотуля. И не старая еще ведь! — хмыкнул санитар. — С чего вдруг инфаркт?

— Нет, брат, главный прикол не в том.

— А в чем?

Доктор обратно накинул простыню на Катино тело и произнес значительным голосом:

— Представь себе — девица.

— В каком смысле?

— В том самом. В прямом.

— Е-мое... И для кого себя берегла? — всерьез расстроился санитар Попов. И даже шутить не стал. Добавил только грустно: — Поди, принца ждала... Теперь пусть на том свете его ищет!

Патологоанатом погасил свет, они с санитаром вышли.

На фоне окна, в полутьме был виден силуэт тела Кати, накрытого простыней.

Из крана в умывальнике мерно капала вода...

ВОЕННЫЕ ПОТЕРИ

Серебряный медальон весь почернел от времени, пузатая серединка сильно обтерлась — и только по краям овала еще можно было разглядеть какой-то растительный орнамент. Замочек давным-давно сломался, а верхняя крышка изнутри покрылась ржавыми пятнами, что казалось невероятным, ибо серебро, как известно, не ржавеет. На молочно-белой, истонченной, покрытой коричневой паутинкой эмали — поясной портрет молодого мужчины в мундире офицера наполеоновской армии. Красавец с черными волнистыми волосами; бледное узкое лицо, тонкий нос с горбинкой. Спокойствие и одновременно гордость читались во взгляде военного, и весь облик его повествовал о том, что у человека этого, скорее всего, была судьба необычная и не слишком счастливая.

Молодого мужчину, изображенного на портрете, звали Франсуа Боле, он служил в армии маленького корсиканца и действительно имел судьбу несчастливую. Он воевал против России, а во время отступления оказался пленен. Всю оставшуюся жизнь Франсуа Боле рвался из плена домой, в солнечную и теплую свою Францию, в Париж, где родился и где жила его невеста, но ничего не получилось: русская бюрократия, бедность и нечаянная женитьба на русской женщине не позволили месье вернуться на родину. Умер он достаточно рано, двадцати восьми лет от роду, то ли от ностальгии, то ли не вынеся суровых российских зим.

...Теперь этот медальон принадлежал одному из его потомков, совершенно русскому человеку с русской фамилией Иванов. Фамилию Боле еще носила в девичестве бабка потомка, но потом вышла замуж и стала Ивановой, и тем самым всякое напоминание о войне с французами было окончательно стерто из официальных документов и сохранилось лишь в семейных легендах.

По этому поводу можно подпустить философскую сентенцию насчет того, что подобным образом рано или поздно заканчиваются все войны — кровь одного народа сливается с кровью другого, и в результате уже нет ни победителей, ни побежденных. Впрочем, можно обойтись и без общих мест.

Итак, потомка Франсуа Боле звали Андрей. Андрей Иванов. Доктор Иванов. О прошлом его рода напоминали только черные мягкие волосы, бледное узкое лицо и спокойный, упрямый взгляд.

На момент, когда Иванову исполнились *его* двадцать восемь лет, у него, помимо медальона и небольшой квартирки, имелись еще в наличии: жена Анна и дочь Мария пяти лет.

Да, все это у него было до одного прекрасного (можно в кавычках) дня, когда он собрался и вышел из дома, поцеловав перед этим дочь и сказав «я люблю тебя» — жене. Медальон со своим предком он оставил дома, в той самой квартире, в столе. Оставил дочери, и таким образом, через нее — и дальше, своим потомкам. Когда дверь за ним закрылась, его жена, Анна, упала на пол и забилась в истерике от отчаяния и бессильной злобы. Она не хотела отпускать мужа, но тот ее не послушался.

Дочь принесла стакан воды своей матери, поставила рядом на пол, холодно сказала: «Не надо так орать, папа все равно не вернется», — и скрылась у себя в комнате, где ее ждали куклы.

После того как Андрей Иванов покинул дом, он прожил очень недолго, не больше месяца. Потом он погиб.

Середина 90-х. Первая чеченская кампания. Штурм Грозного. Огромные потери.

Хаос и кровь. Андрей, будучи врачом, оперировал круглые сутки. Однажды он вышел из госпиталя в самый разгар военных действий, чтобы руководить транспортировкой раненых, и вдруг... пропал. Пропал без вести — это официально, а неофициально его жене сообщили следующее — скорее всего, погиб в той мясорубке. Надежды нет. (Но это произошло позже, как уже говорилось — где-то через месяц после ухода Андрея Иванова из дома.)

...А пока его жена пила воду, сидя на полу прихожей. Зубы ее стучали о край стакана. Она была в ярости. Потом она встала и принялась нажимать кнопки на телефоне.

— Алло, — сказала она, услышав в трубке голос своего любовника, — ты не представляешь... Он все-таки уехал. *Туда* уехал. Гребаное чувство долга. А я? А Машка? Он что, нам ничего не должен?!

— Анна, ты ни в коем случае не должна волноваться. С тобой же я, и я никогда тебя не брошу — ты знаешь.

Он много чего хотел ей сказать в тот момент, ее любовник, но сдержался. Но мысленно он возликовал, будучи человеком экзальтированным, к тому же — совсем потерявшим голову от страсти. Пусть, пусть Иванова убьют. А что? Если мужа его любовницы убьют, он женится на ней. Он, конечно, все равно женится на ней, даже если этого человека не убьют, но лучше бы его убили, и — «Господи, прости мне мои гадкие, грешные мысли, но Ты же знаешь, тогда погибну я — без этой женщины...»

Они, Анна с любовником, договорились встретиться через два дня — встретиться через день было бы цинично, учитывая драматизм ситуации, через три — слишком долго ждать (для него), слишком мучительно.

А что она? Безусловно, когда-то Анна сходила с ума от любви к собственному мужу, только это очень давно было, семь лет назад. Совместно прожитые годы истрепали, протерли до дыр сие нежное чувство, кроме того, возникли симптомы того, что Андрей — неудачник. Звезд с неба не хватал. В смысле, не особенно был озабочен своей карьерой — отсюда стесненность в средствах. Характер у Андрея — тоже не очень. Мечтательность эта меланхолическая и гордость — совсем не для нашей жизни, да еще в те, непростые 90-е годы. Нехотя Анна завела любовника. С любовником ей повезло во всех отношениях — богат, молод, красив, безумно влюблен.

Но от своего Иванова женщина почему-то не торопилась уходить, хотя с мужем продолжались споры, ссоры, постоянное раздражение на пустом месте...

Так тянулось до того дня, когда муж вдруг решил уйти — туда. На войну. Или — уйти от нее, от жены? Допустим, надоела ему супруга. О, тогда, безусловно (тут же решила Анна), о сбежавшем из дома муже не стоит думать, скатертью дорожка. Но к чему эти слова перед расставанием? Он сказал, что любит ее, и сказал таким голосом, что у нее чуть сердце не разорвалось... Игра? Из серии — напоследок сделать побольнее, заставить ее испытать чувство вины?

Если так, то Андрей — просто садист. Знал ли он о существовании любовника у жены? Вряд ли, решила Анна. Он ни о чем не знал и даже не догадывался, ибо принадлежал к породе тех мужчин, которые узнают об измене самыми последними.

Ну ладно жена, продолжала думать Анна. А дочь? Даже наличие дочери, Мари (между собой они звали дочь Мари — в память о французском предке), не остановило мужа. Что ж, миру известна подобная жестокость, извращенная такая... когда убивают себя на глазах близкого человека — для того, чтобы тому совсем тошно стало. Анна ведь пыталась отговорить Иванова, пыталась не пустить, она, между прочим, даже зарок себе дала, мысленно — если муж останется с ней, на войну не пойдет, то она бросит своего прекрасного любовника.

Но Андрей ушел. И сгинул, пропал потом. Но это потом.

А через два дня после ухода мужа из дома Анна встретилась со своим любовником — у него дома. Вино, слезы, объятия... А что делать, не хоронить же теперь себя заживо. Жизнь-то продолжается!

Через неделю они втроем (вместе с Мари) пошли в цирк. Через две недели, когда наступили ноябрьские холода, любовник подарил Анне шикарную шубу (а раньше этого сделать не мог, ибо присутствие мужа мешало).

«Ты ушел? — думала Анна, обращаясь к отсутствующему мужу. — Только не думай, что я без тебя от тоски загнусь. Ты мне и не нужен! И Мари ты тоже не нужен!»

А еще через неделю — пришло оно, это известие, что Андрей пропал без вести и надежды нет.

Ну и ладно. Он сам этого хотел. Сам, добровольно, полез в пекло...

К весне Анна и ее любовник уже жили вместе. Правда, маленькая Мари исподтишка пыталась протестовать против появления у нее нового папы — она, по малолетству своему, не верила, что ее родной, настоящий никогда не вернется больше. Но кто станет слушать ребенка?...

Чуть подробнее о любовнике Анны. Непростой человек.

Его можно было назвать «новым русским», но он бы обиделся этому названию, да и не вполне точно оно звучало. Он являлся, скорее, новым «новым русским».

Его папочка, бывший партийный босс — да, был самым настоящим жуликом, но его сын — уже нет. Разве только что самым косвенным образом. Сын (любовник Анны) учился в Оксфорде (благодаря папочке, потому и косвенно), воспитан и умен — необычайно, спортсмен и сторонник Гринписа, подавал милостыню нищим и вообще благодетельствовал многим, не афишируясь, ибо от прекрасно развитой души благодетельствовал, веровал в

Бога — не театрально, с битьем поклонов, а так, вполне пристойно и красиво. Свой грех прелюбодейства переживал и темных мыслей своих боялся — желал же этому Андрею смерти, ведь желал? — но оправдывал этот грех безумной, необыкновенной любовью.

Он действительно обожал эту женщину, чужую жену. И не только потому, что она была красива и умна (а она была и красива и умна). И не потому, что запретный плод всегда сладок. А потому, что она, Анна, никого не впускала к себе в душу, держала всех на расстоянии, непостижимая и недостижимая... (Хотя на самом деле Анна — из тех капризных эгоисток, которые не способны на жертвы, из тех эффектных сумасбродок, которые не боятся остаться одни и потерять все — вот так, потому что захотелось вдруг.)

Но иных мужчин влечет вот именно эта отстраненность, закрытость женщины, непредсказуемость, это обещание тайны... Может, тайны-то никакой и нет, но разгадать — все равно хочется!

Вот в каком направлении текли мысли Анны? Любовник не раз спрашивал ее — о чем она думает, вот сейчас, в данную конкретную минуту, и она отвечала — вполне искренне, кстати, — «думаю о том-то и о том-то». Но он-то знал, что это не все еще, что за этими ее словами прячутся другие, еще какие-то, недоступные ему миры. Не особо какие необыкновенные — но ведь недоступные же! Ах, как он терял от этой женщины голову, как он всегда ее хотел! А еще он, умный и трезвый человек, способный заглянуть в будущее, знал, что она никогда не сможет надоесть ему, потому что Анна — огонь, а ему, чуть холодноватому, рассудочному, именно этого огня и не хватало… Союз с женщиной добросердечной, уютной, спокойной душевно убил бы его как мужчину. Поэтому любовник даже несколько раз являлся в церковь и ставил свечу — самую толстую и дорогую, благодаря Создателя за то, что тот послал ему такое сильное чувство, такую любовь. Деньги-то может каждый заработать, а вот настоящая любовь — она еще не каждого посетит…

Перед ее дочерью, Мари, любовник тоже благоговел, ибо и дочь Анны в своем роде являлась существом необыкновенным. Падчерица — настоящая маленькая женщина, этакая кошечка с повадкой… видимо, французские гены сказывались. Блеск черных глаз, стремительные и грациозные движения! Она уже сейчас, в малолетстве своем, была хозяйкой мира — и все ей должно было подчиняться, и все ей подчинялось. С какой бесцеремонной грацией Мари вертела всеми — начиная от детсадовских сверстников, кончая им, любовником ее матери, его друзьями, являвшимися иногда в дом, — а некоторые, поверьте, были людьми весьма влиятельными…

Впрочем, матерью девочка не могла вертеть, с матерью у Мари существовала постоянная легкая конфронтация, возникшая тотчас же после ухода Андрея. Представьте себе, эта пигалица не могла забыть отца и все время о нем помнила, что выглядело довольно необычно для ее возраста и характера — беззаботного и очаровательного. Подобные навязчивые воспоминания свойственны скорее зрелой женщине с мрачным, тяжелым, упорным настроем души. Отчима как таково-го, отдельно Мари вполне уважала и даже была в сво-ем роде привязана к нему, но отчима рядом с матерью она не особенно любила, а мать рядом с отчимом, как уже говорилось, вызывала у нее и вовсе раздраже-ние… Но, впрочем, разногласия и споры не выходили за определенные рамки, возникающие трения — ско-рее относились к разряду мелочей. А уж по пустякам-то в какой семье не спорят…

В общем, на этом можно было и закончить историю доктора Иванова — с возникновением другой, новой, семьи. Да и война к тому времени вроде бы затихла на время…

Но в один прекрасный день на пороге того роскош-ного дома, где жили счастливые молодожены вместе с Мари, появился некий мужчина, бывший однополчанин Андрея.

Однополчанин выглядел внешне человеком вполне обыкновенным — но только внешне. После пары ми-нут общения с ним стало ясно, что внутри у гостя — черным-черно, один пепел. Совсем недавно полыхал там страшный пожар, и неизвестно, расцветет ли по-сле того хоть одна травинка на этой черной, сгоревшей земле. Это было заметно по тому, как гость оглядывал шикарное жилище нового «нового русского», его са-мого (быстро же вдовушка утешилась, удачную канди-датуру себе нашла), ее — необъяснимо, невероятно красивую, — что в подобных обстоятельствах грешно и преступно, и только на малютку Мари однополчанин посмотрел нормально, хорошо — ну, это же Мари, она способна укротить любого!

Однополчанин Андрея успел навидаться вдов, знал об их тяжелой жизни, о том, что они жаждут узнать обстоятельства гибели своих мужей... Потому и считал своим долгом навестить Анну, чтобы рассказать о гибели ее мужа, свидетелем которой оказался.

Но до своего визита не знал всех обстоятельств жизни Анны. Гость никак не ожидал, что в этот раз его визит окажется лишним и ненужным. Он шел сюда выполнить свой долг, а пришедши — в своих намерениях раскаялся. Вдова уже не вдова, а замужняя дама, сирота дочь — не сирота, ибо есть кому заменить папашу. Да и Мари сиротой никогда не выглядела — отважная, неунывающая, острая на язычок девчонка!

«Таким — не надо ничего знать». Уж слишком хорошо свежеиспеченная семейка жила — настоящий рай по сравнению с тем, откуда он, однополчанин, вернулся, а Андрей — и вовсе нет.

Кстати, доктору Андрею Иванову однополчанин был сильно обязан — тот после одного тяжелого ранения лечил его, латал раны. Хороший человек, хороший врач. А вдова как быстро променяла мужа на другого...

И все-таки гость, этот искореженный войной человек, нашел в себе силы кое-что рассказать Анне. Да, он действительно оказался свидетелем гибели ее мужа. Причем и сам в очередной раз был тяжело ранен в том же бою, долго лечился (отчего и припозднился с визитом).

Андрей, как поведал гость, оказывается, не просто погиб, он оказался в самом эпицентре взрыва, и его тело разлетелось на кусочки — потому нечего было даже запаять в цинк и отвезти на родину. Потому в свидетельстве о смерти и написали на всякий случай — пропал без вести. Однополчанин поведал обо всех этих обстоятельствах Анне и передал ей вещи пропавшего без вести, вернее, как теперь выяснилось — убитого. Вдова переворошила быстро, на глазах однополчанина все эти вещи: она искала записку. Хоть одно словечко на клочке бумаги — от Андрея к ней. Хоть какое-то объяснение странного ухода. Что же на самом деле тогда произошло? Почему муж ушел из дома без всяких объяснений? Почему бросил их с дочерью?!

Анна прямо спросила гостя — отчего Андрей решил отправиться добровольно на ту дурацкую войну? Ведь не чувство же долга его погнало, в самом деле...

Однополчанин мужа усмехнулся, пожал плечами. Потом заявил, что на пустые разговоры у Андрея не было ни сил, ни возможностей. Человек двадцать четыре часа в сутки работал, вытягивал людей с того света («а зря все-таки, на этом свете ничего хорошего нет, я точно знаю»). И вообще, о прошлой жизни Андрей не любил говорить (или не мог). «Как он погиб? Он точно погиб?» — зачем-то переспросила Анна. «Да, это было на моих глазах, но я был далеко от того места, мне повезло (хм). От него же — ничего не осталось. Совсем». От водки и поминального ужина однополчанин отказался, сказав все то, что велел ему долг, и ушел.

Пока длился этот не слишком долгий разговор, любовник Анны деликатно сидел в соседней комнате и слушал. Он не мог не слушать — его касалось все, что касалось Анны. Он вполне понимал чувства, наполнявшие перегорелое нутро пришедшего к ним военного, он переживал... Он чувствовал себя обязанным. Он-то, сытый и довольный, под обстрелом не стоял, чужой крови не нюхал!

Поэтому любовник дал себе слово завтра же отправиться в госпиталь, где обычно лежали пострадавшие от той войны, и помочь им — чем можно, конкретно помочь — деньгами ли, своими связями, да хоть собственными руками...

А что Анна?

Анна же пыталась представить себе смерть своего мужа.

Вот он идет по какому-то пустырю, по полю. Впереди — разрушенные дома. Черная земля под его ногами. Солнца нет, кудри темные по ветру, это его лицо, которое и через тысячу лет не забыть, изученное досконально за годы семейной жизни. О чем Андрей думал перед той вспышкой, начисто стершей его с лица земли? «Думал ли он обо мне? Любил ли меня?! Да, он сказал мне перед уходом, что любит, но как теперь проверить это, как?!»

Потом, еще долгие годы, Анне снился один и тот же сон. Во сне она видела своего мужа, идущего по черной земле, не идущего даже, а как-то плывущего над ней, почти не касаясь этой земли ногами. Анна никому не рассказывала об этих снах. Лишь однажды, много лет спустя, она мельком упомянула в разговоре со взрослой дочерью, что «твой папа, Мари, снился мне». И все, больше ни слова.

Мари тоже никак не стала комментировать материн сон. Она уже давно отдалилась от Анны, от отчима и жила своей, интересной, яркой жизнью. Много где побывала, много чего видела. Много чем интересовалась.

Однажды она поехала в Париж, одна. Отважная и любопытная девица. Самостоятельная. Гуляла по городу, осмотрела все достопримечательности. Ведь ее предки были из Франции!

А пока гуляла, думала о том, что никогда не повторит ошибок своей матери. И вообще, никаких ошибок постарается не совершить. Это же надо, как они бездарно прожили свою жизнь — мать, отец, отчим... Отец любит мать, она его тоже любит, но отец зачем-то уходит на войну. А мать в отместку выходит замуж за другого. И этот самый другой — несчастный отчим, который обожает мать, хотя знает, что та любит своего покойного мужа. Поэтому отчим каждый день вскрывает ей мозг — о ком на самом деле мать думает, о нем или о покойном докторе Иванове...

В общем, глупые, несчастные они все люди.

И вдруг, без всякой причины, бродя по Елисейским полям, Мари вспомнила один эпизод из прошлого. Она никогда не придавала ему значения...

Хотя, возможно, именно с того момента и заварилась вся эта каша! Дело было так. Много лет назад Мари, еще совсем малюткой, гуляла как-то со своим родным отцом. Они увидели на другой стороне улицы Анну и отчима рядом.

Но парадокс в том, что Мари тогда еще в лицо не знала будущего отчима, но сказала отцу: «Вон мама!

Идем к ней, она с каким-то дядей». Отец, видимо, уже о многом догадывался, и в тот момент его подозрения получили под собой почву. «Нет, — сказал отец. — Не будем мешать, ты же видишь, мама разговаривает с дядей. Пойдем, я тебе мороженого куплю...»

Спокойный тон отца, обещание мороженого, интересная прогулка — все это стерло картинку того, как Анна идет рядом с отчимом. Стерло, но не до конца. И только теперь она всплыла...

«Не будем мешать». Не будем мешать! Отец решил не мешать и именно потому ушел тогда из дома на эту войну.

Вот так, только спустя годы, сейчас, Мари озарило — отчего ее отец ушел когда-то из дома, практически на верную смерть. Он просто увидел маму под ручку с любовником, догадался об их романе и самоустранился.

Рассказать об этом воспоминании матери, Анне? Спустя столько-то лет... Нет, это слишком жестоко. По сути, это все равно что обвинить мать в смерти отца. А ведь мать его ждала, надеялась, возможно, что когда-то ее муж вернется из плена... Надеялась до тех пор, пока не появился тот однополчанин, свидетель гибели отца.

И отец тоже хорош! Зачем он ушел, ведь мать любила его... И до сих пор любит, возможно. Она иногда достает из шкатулки старинный медальон, когда-то принадлежавший отцу, и долго, долго рассматривает его со странным, напряженным выражением — словно пытается разгадать какую-то загадку. На Мари вот тоже иногда смотрит — с тем же напряженным выражением... А однажды мать призналась, что отец ей снится. Упомянула об этом с такой мукой, такой обидой! Значит, ничего не прошло, ничего не забыто — раз все время ведет мать мысленные споры с отцом, упрекает его.

И зачем тогда отцу понадобилось сразу на войну бежать, в самое пекло, где только смерть... Больше на самоубийство похоже.

Словом, Мари никак не хотела повторять ошибки старшего поколения. Она немедленно решила, что уж у нее-то все будет прекрасно. Уж она-то сумеет распорядиться собственной жизнью! Да, и никогда не станет связываться с военным или кем-то, кто имеет отношение к войне.

Мари еще не знала, что через пару дней познакомится в Париже с молодым мужчиной. И влюбится в него — безумно. И только потом, не сразу, она узнает, что ее Николя служит в Иностранном легионе и не мыслит своей жизни без военных действий. Но будет поздно — девушка уже потеряет свое сердце...

В семье Николя, кстати, хранилось много старинных реликвий. Одной из таких реликвий было письмо прапрабабки Николя к своему жениху, в Россию. Письмо так и осталось по каким-то причинам неотправленным.

* * *

«Франсуа, я пишу Вам, не ожидая никакого ответа. Слишком далеко мы друг от друга... Наверное, я вывожу эти строчки исключительно для себя. С моей и с Вашей стороны сделано все возможное, чтобы нам никогда не быть вместе, и ничего никогда уже не изменить (о, это ужасное слово «никогда», если б я могла, то никогда бы его не написала), и дело не только в этой огромной Russia, не в ее холодных бесконечных снегах. Дело в том... впрочем, я теряю свою мысль — я всего лишь женщина, дальше я развиваю свою мысль не словами, а чувствами, возможно, Вы меня поймете, если чувства Ваши хоть немного сходны с моими. Le impereur в изгнании (известно ли Вам?), но все еще популярен. Только я уже не его приверженка. Знаете, я готова его проклинать, и особенно то, что он придумал эту глупую кампанию, нас разлучившую. Впрочем, не дело женщине соваться в политику. Знаете что, Франсуа? Я ненавижу войну.

Франсуа, вернитесь, я жду Вас...»

ЗОЛУШКА

Фомина, сколько себя помнила, была девицей крайне осторожной и консервативной. Больше всего на свете она не любила чего-либо менять и идти на эксперименты. А вдруг хуже будет?! Надо ценить то, чем уже обладаешь.

Еще в детском саду воспитатели хвалили Фомину за примерное поведение и осторожность.

Потом родители отправили ее учиться в обычную школу. Сначала ничего, а потом, ближе к подростковому возрасту, стали одноклассники дразнить Фомину — за то, что каждый день она приходила в школу с одной и той же прической — косой. (Хотя на самом деле коса — это очень удобно. Не надо тратиться на стрижки, думать об укладке, все быстро и просто. Заплел с утра — и порядок.)

Хотела Фомина перевестись в другую школу, где дети добрее, но не стала. Можно и потерпеть. Ну, а что дразнят всякие идиоты — так это не страшно. Вон, говорят, бывают школы, где бьют, где пьют и где наркотики. И где на телефон разборки снимают, а потом — позор на весь Ютьюб. Бр-р, вот настоящий ужас-то... Вдруг в такую компанию попадешь? Нет, лучше на одном месте оставаться.

Куда поступить после школы, Фомина долго не думала. У нее тетка преподавала в строительном институте неподалеку, могла помочь при поступлении. На бюджетное! В наше время попасть на бюджетное — большая редкость, надо вундеркиндом быть. Или вот, по блату — как в случае Фоминой.

Строительство как таковое совершенно не интересовало девушку, но раз появилась возможность — зачем упускать? С другим вузом могло ничего не получиться, да и какая разница, что строительный... Лишь бы корочку получить.

Когда Фомина училась на последнем курсе, ей предложили работать в архиве — тут же, при институте. Выдавать бывшим студентам справки, оформлять документы. Платили немного, но зато и работу искать не надо. А что? В наше время даже самые лучшие специалисты безработными ходят... зачем рисковать, искать чего-то? Кризис же. Потом, далеко ехать не надо, тратиться на дорогу, давиться в общественном транспорте опять же...

И покатилась налаженная, тихая жизнь. Днем Фомина сидела в своей комнатушке при институте, глядела на мир через окошечко в пластиковой стене, а свободное время любила проводить дома, на диване — в обществе интересной книжки и пакетиков с соленым печеньем. Впрочем, иногда она спохватывалась — годы идут, а жениха все нет. Но потом в руки попадалась новая интересная книга, и девушка опять забывала о неустроенной своей жизни.

В конце концов, мужчины нынче ненадежные. Уж лучше одной, чем абы с кем. И вообще, в наше время семья неактуальна. Это раньше на старых дев пальцами показывали, а теперь всем плевать.

Имелась у Фоминой одна-единственная задушевная подруга, Маня Симакова. На голове — роскошные кудри, стиль одежды — гламурный шик (родители Симаковой, оба успешные архитекторы, дочку баловали). А еще Маня — энергичная, веселая, с сумасшединкой. Обожала риск. Вечно влипала в разные истории и глупость норовила совершить. И притом хорошенькая — до невозможности! Мужчины вокруг нее так и роились. Но Мане Симаковой предстояла нелегкая задача — выбрать из них самого достойного.

Маня — полная противоположность Фоминой, но без рассудительной подруги — никуда. Только ее советы и слушала. «Я бы без тебя, Фомина, совсем пропала бы! Ты одна мне мозги можешь вправить!» А Фомина в ответ добродушно шутила: «Ну да, Маня, я при тебе, как санитарка в дурдоме!»

Однажды, где-то в конце мая, Маня познакомила Фомину с очередным своим претендентом на руку и сердце. Звали претендента винтажным, редким именем — Демид. Дема, Демушка... И был Дема сказочно красив — рост под два метра, голливудская улыбка и даже сережка в ухе. Правда, глуповат еще парень, пощенячьи, но это возрастное, излечимое.

Как-то решили они втроем прогуляться по центру Москвы, по Тверской. В кафе летнем сидели. Лизали мороженое, щурились на ярком весеннем солнышке. Как и всякий влюбленный, Демид болтал с Маней о чем-то веселом и глупом, мало обращая внимания на невзрачную Фомину. Фомина же почему-то не чувствовала ни вкуса мороженого, ни тепла, даримого солнцем. То и дело бросала она мрачные взгляды на Маниного приятеля, и сердце ее наполнялось наичернейшей завистью. Фоминой хотелось, чтобы Дема принадлежал ей, чтобы только ей говорил он эти восхитительно-нежные глупости. Себя она в тот момент почти ненавидела — такую скучную, в унылой одежде и с примитивной косой на затылке.

«Он тебе нравится? Одобряешь?» — шепотом спросила Симакова, улучив удобный момент. «Одобряю...» — с тоской ответила Фомина.

С тоской — потому как нечто странное случилось с ней. Словно переключатель какой в мозгу щелкнул. Двадцать пять лет прожила на белом свете одним человеком, а потом р-раз — и все с ног на голову перевернулось! Появился другой человек.

Влюбилась наконец-то?

Потому что после этой прогулки она не спала несколько ночей кряду, думая только о Демиде. Перебирала неутешительные подробности — Демид работал манекенщиком у известного российского кутюрье и одновременно снимался для какого-то крутого журнала, для «Плейбоя», что ли... Красавец, хоть и с сережкой. (Впрочем, в «правильном», гетеросексуальном ухе.) Эти подробности лишний раз подтверждали его красоту и тем самым — невозможность любви между ним и скучной девицей с косой.

«Но почему невозможно?» — вдруг подумала Фомина, отбрасывая от себя пачку соленого печенья и томик фэнтези. «А что, если...»

...Она начала изнурять себя диетами и фитнесом. Особо толстой она никогда не выглядела, скорее — бесформенной.

Скоро здоровый образ жизни дал свои результаты. Но Фомина поняла, что этого мало. Стройных девиц сейчас пруд пруди. Вот откуда взять столько денег, чтобы с симаковским шиком подчеркнуть с помощью одежды свои новые, упругие формы? Родители у Фоминой — пенсионеры, помочь деньгами не могут, а собственная зарплата — это же смешно. Господи, да как она только согласилась с этим архивом связаться! При ее-то образовании...

Высшее образование. Да, среди многочисленных минусов у Фоминой имелся неоспоримый плюс — высшее образование. Она — инженер-строитель.

Работу по специальности найти, в принципе, можно. Но, опять же, это будут копейки. Она не дизайнер, не архитектор, не аудитор, ни пиар-менеджер даже, на худой конец... О чем она только думала раньше, согласившись на этот скучный вуз, в котором работала ее тетка?

«Что делать, что делать?!» — металась обезумевшая Фомина, ни на мгновение не забывая голливудскую улыбку Демушки.

Потому что сдаваться она не желала. Она принялась перебирать все свои школьные и институтские знакомства, чтобы ухватиться хоть за что-нибудь, хоть какую-нибудь ниточку найти, которая бы вывела ее к обеспеченной жизни.

Обычно Фомина людей сторонилась, общения не любила — оно тяготило ее. Есть Симакова рядом — и ладно. А тут пришлось залезть в социальные сети, болтать со всеми подряд, в том числе и с теми, кто ей был неприятен, кто дразнил ее в детстве за старомодную косу, потом встречаться с этими людьми в реале...

В своем маниакальном упорстве Фомина перестала походить на себя прежнюю — ленивую и робкую. Она бойко сыпала умными словами, расточала добротные, широкие улыбки и уже осенью сумела устроиться на работу в крупную строительную фирму. Даже по специальности! Платили в несколько раз больше, чем в институтском архиве.

Но и этого Фоминой было мало. Она не хотела останавливаться.

Неуемное честолюбие внезапно проснулось в ней, и очень быстро Фомина стала продвигаться по служебной лестнице. Она делала карьеру! Теперь она читала другие книги — по экономике. И продолжала лилейно заботиться о своей внешности. Дорогие французские крема, делающие кожу розовой и мягкой, бальзамы для волос, придающие им блеск и невиданную шелковистость...

Свою косу она теперь укладывала в парикмахерской. Как раз мода на косы-то пошла! Ей делали на голове нечто изысканное, французисто-небрежное...

Звезда Фоминой засияла высоко и ярко. Мужчины толпами бегали за красавицей и умницей, но она отвергала все ухаживания, она помнила только об одном, самом красивом из них — и ждала своего часа.

...Гром прогремел в середине весны, когда Фомина узнала о грядущей помолвке Мани и Демида. Она была приглашена на семейное торжество — задушевная подруга как-никак. Но Фомина не впала в отчаяние, ведь помолвка — это еще не свадьба. А хоть бы и свадьба...

Ее прическа, ее макияж, ее одежда — были строго продуманы, когда она появилась в загородном доме Симаковых, битком набитом гостями. На празднике присутствовало множество красивейших девиц, но Фомина выглядела лучше всех. Даже лучше прехорошенькой невесты. Выбрав удобный момент, Фомина приблизилась к жениху и заговорила с ним. О чем — не важно, важно — как. Короче, юный Аполлон понял, что пришел его настоящий хозяин. Хозяйка.

Фомина — *победила*. Ей повезло еще и потому, что Дема, несмотря на свою лакированную внешность, являлся мальчиком нежным и романтичным, покорным сильной воле.

В этот вечер Дема ушел с ней.

Фомина торжествовала. Симакова рыдала, родители ее утешали, почем зря костеря коварную подружку дочери, а красавчик Демид... Красавчик Демид терял голову в приступе новой любви. Сиренью благоухал май — ровно год прошел с той поры, как Фомина решилась переменить свою жизнь.

Сияло нежное майское солнышко, и нежный Демушка во время прогулок по Тверской шептал Фоминой на ушко нежные слова, этакие восхитительные бредни, понятные только влюбленным, но странно, красавица и умница Фомина их почему-то не понимала. Не принимала.

Разлюбила?

Когда прошла первая радость победы, она почувствовала скуку в обществе Демида. К концу мая он окончательно надоел ей со своими нежностями и восторгами. Смазливый щенок. Она что, спятила — связываться с каким-то манекенщиком?!

Да, она его разлюбила, но поменяться обратно, превратившись вновь в скучную девицу, — тоже уже не смогла.

И вообще, как она жила раньше? Даже не жила, а словно в норке сидела, боясь сделать лишний шаг, боясь переменить что-либо... А ведь, оказывается, это так интересно — меняться, рисковать. Идти вперед, вверх. Девушка уже думала о новой любви — с мужчиной умным и волевым, с мужчиной-завоевателем. С таким бы она пошла еще дальше. К самому Солнцу!

Решив так, Фомина безжалостно срезала свои ультрамодные длинные волосы, которые, как ей казалось, делали ее похожей на принцессу-паиньку. С короткой стрижкой она выглядела красивее и жестче, настоящей подругой будущего супермена.

По вечерам сотовый телефон звонил не переставая, на экране высвечивалось имя — «Дема». Фомина на звонки не отвечала.

Однажды он сам явился к ней домой — грустный, обиженный мальчик, и стал обвинять ее в равнодушии. Он упрекал ее и за обрезанные волосы, его испугал облик новой — сильной и жесткой — Фоминой. Но она его не слушала. Она испытывала только раздражение.

Когда он сказал, что умрет без нее, что он выбросится из окна, повесится — по-детски так сказал, забавно, — Фомина расхохоталась. Она бросила ему в лицо свою длинную черную косу, красиво упакованную в целлофан, со словами — вот, мол, тебе веревка.

Дема взял косу, грустно посмотрел на Фомину и ответил, что именно так он и поступит. Фоминой было все равно. Она только вздохнула облегченно, когда дверь за ним наконец захлопнулась.

КРУТОЕ ПОРНО

Как всегда в начале мая в воздухе витал дух любви и беспечности — женская консультация была почти пуста, лишь пара-тройка беременных бесформенными облачками проплыли мимо Лены по коридору. Лена завистливо вздохнула — ее терзали проблемы совсем иного рода.

Врач, добродушная пожилая тетка, основательно изучив Ленин внутренний мир, нашла у своей пациентки дисфункцию. Точнее — психогенную аминорею. Лену этот диагноз привел в ужас. Она никогда не слышала таких слов.

— Ничего страшного, милочка, но лечиться вам все-таки придется. Вот таблеточки еще я выписала.

— Они помогут? — спросила Лена, благоговейно разглядывая корявые загогулины рецепта и печать под ними — «доктор Кабанец Мария Петровна».

— Помогут, безусловно, — стул под энергичной докторшей заскрипел, — только для полного эффекта необходимо жить регулярной половой жизнью.

— То есть? — напряглась Лена.

— Короче — занимайтесь почаще любовью, — подмигнула Кабанец, — очень помогает от дисфункции. Все гениальное просто.

Помимо своей воли Лена покраснела и закашлялась.

— Выпейте, — доктор Кабанец мгновенно наполнила стакан водой из графина, — не думала, что вы настолько впечатлительны. Годы-то ваши уже далеко не девичьи... — И она заглянула в карту, где суровым приговором стоял год Лениного рождения.

В ответ Лена разрыдалась.

— Пишу вам еще направление к невропатологу, — доктор решительно придвинула к себе новый бланк. Написав, она откинулась назад и внимательно всмотрелась в Лену. — А теперь расскажите мне о своей личной жизни. — Она не могла не покопаться и в Лениной душе, ибо каждый гинеколог чувствует себя еще и немного психотерапевтом.

— Я не замужем, — выдавила из себя Лена.

— Я тоже не замужем. Ну и что?

— Ваш совет... ну, об этом самом — совершенно невыполним. У меня сложный случай... у меня никого нет, то есть полное отсутствие партнера.

— Совсем никого? — строго уточнила доктор, словно Лена пыталась скрыть от медицины какие-то важные сведения.

— Совсем.

— Быть такого не может! — возмущенно взорвалась врачиха. — Даже я — в моем-то возрасте... Да, я имею поклонника. И могла бы иметь не одного, если б захотела только!

— Вообще-то у меня есть знакомый мужчина, именно знакомый. Но не могу же я ему предложить *это*, —

потерянно пробормотала Лена, страстная поклонница старинных фильмов и сентиментальных романов.

— А вы попробуйте.

— Но я не люблю его.

— Глупости. Дребедень романтическая эти ваши «люблю — не люблю». Вы что, в прошлом веке живете? Если здоровье требует, значит, надо.

— Но я не люблю его!

— И слышать ничего не хочу, — тоном военачальника вострубила решительная Кабанец. — На выход. Следующая!

Лена вышла вон, пропустив мимо себя очередную беременную с размякшим лицом.

...Биография Лены Кирсановой была так же проста и безыскусна, как отварной картофель. После окончания средней школы она поступила в институт культуры, добросовестно проучилась в нем четыре положенных года — троек нет, но четверок больше, чем пятерок, а после отправилась работать в библиотеку социально-производственной направленности. По своей специальности — библиотекарем-библиографом.

Библиотека была не центральной, а филиалом, располагалась в одноэтажном особнячке, сотрудников всего четверо: заведующая Шарлотта Кузьминична — вздорная шестидесятилетняя тетка; роковая женщина Наталья; толстая Крылова — одинокая мать сына-подростка, и она, Лена. Платили как и везде — скупо, начисляя за диплом копейки, но юная выпускница института культуры не унывала, потому что работу свою любила.

Она обожала запах книг, она радовалась каждому читателю... Активно вела общественную работу. Проводила вечера для пенсионеров, вела встречи с писателями, организовывала всевозможные кружки и мероприятия. Как вам — костюмированный вечер танцев?

Словом, она занималась всем тем, чем не могли заниматься тучная Крылова и роковая женщина Наталья — на то она и роковая. Что же до Кузьминичны, то та вообще могла только руководить.

Менялись числа на календаре, одно мероприятие сменяло другое, на смену одним читателям приходило следующее поколение... А юная библиотекарь-библиограф постепенно превращалась в старую деву. У Лены никак не складывалась личная жизнь — после первой и единственной институтской любви наступил период глухого одиночества, одиночества без единого проблеска. Маячил неподалеку, правда, некий Юрочка, сутулый, близорукий юноша из центральной библиотеки, куда Лене приходилось не раз ездить с отчетами (это его она упомянула в разговоре с гинекологом), но Юрочка — что-то вроде НЗ, неприкосновенного запаса. И выбросить жалко, и вдруг пригодиться может. Лена встречалась с ним уже год — раз в месяц то на концерт, то в кино ходили — и кроме этого их отношения не продвинулись ни на йоту. Чахлые ухаживания грозили растянуться на десятилетия, а свадьба состоялась бы никак не раньше пенсии.

В тридцать восемь лет Лена решила, что подождет еще года два, до круглой даты, и если не найдет себе мужа, то родит ребеночка от кого-нибудь (не от Юрика, разумеется… от него дождешься, как же).

Но такие мысли мало согревали ее сердце. Она хотела любви сейчас, она ужасно хотела любви, и не любви даже, а безумной, все сжигающей страсти. Лена так долго и так часто думала об этом, что в конце концов у нее даже сложился идеал возлюбленного — стройный брюнет со знойными усиками, пылкий, как молодой Омар Шариф, и элегантный, как Кларк Гейбл в зрелые годы.

Необустроенность Лениной жизни также волновала и ее коллег. Но у всех у них были разные точки зрения на причину подобного одиночества. Шарлотта Кузьминична видела всему виной, как ей казалось, чрезмерную разборчивость своей «молодой» подчиненной. «Да уж. Я знаю, есть у нее какой-то. Из центральной библиотеки. И еще кто-то, наверное, время от времени на горизонте появляется. А она все нос воротит — ей принца подавай. Напридумывали себе принцев, не хватает им того, что под рукой имеется. Зажралась нынче молодежь!» — говоря это, Кузьминична многозначительно косилась на роковую Наталью. У Натальи был муж, и на работу еще звонили разные посторонние мужчины. «Просто гады они все, — возражала заведующей толстая Крылова, — сейчас приличного мужчину днем с огнем не сыщешь. Уж лучше всю жизнь одной быть, чем терпеть возле себя какого-то». — И вздыхала расстроенно и смятенно. Крылова была полностью на стороне Лены.

Наталья в спор не вступала. Она улыбалась загадочно. Она думала, что счастливой может быть только женщина красивая и умная, ну, как она сама. Одним из ее постоянных любовников был мужчина на десять лет ее моложе, на десять лет! — от чего Наталья совсем возгордилась. Лену она считала некрасивой и глупой.

Но это было не так — по своим внешним данным и умственным способностям Лена была вполне обычной молодой женщиной, которых пруд пруди. Правда, имелось у нее несколько убеждений, которые многие бы назвали заблуждениями (может быть, и ошибочно бы назвали). Например, Лена считала, что одежда должна быть сначала удобной, а уж потом модной или красивой. Что аккуратный пучок на затылке смотрится гораздо лучше неряшливых кудрей, разбросанных по плечам и спине. Что каблуки должны быть непременно низкими и широкими — ведь на шпильке в любой момент можно ногу подвернуть. Что косметика только портит естественный и здоровый цвет лица. Но все это мелочи, мелочи — разве они имели какое-нибудь значение для любви?

Для любви.

О которой Лена мечтала денно и нощно, особенно этой весной, когда по утрам за окнами кричали воробьи, обезумев от страсти.

«Где ты, где ты, где ты...»

Она так ждала *его*, что заболела. По-женски. Что-то сломалось, расстроилось в отлаженном механизме ее организма. Это встревожило Лену — поскольку после определенного рубежа, как уже говорилось, она думала завести ребенка, и организм в этом случае должен работать безупречно — ибо она одинокая женщина. Стрелять придется сразу в «яблочко». Но это потом, до часа икс еще есть время, еще есть надежда найти единственного и неповторимого.

Озадаченная донельзя, вышла Лена из женской консультации. «Регулярно заниматься... то есть жить половой... О господи!» Нет, о Юрике и думать нельзя было как о возможном партнере, о его анемичных и тусклых ласках — этак-то последнего здоровья лишишься. Тогда кто? Подойти к какому-нибудь совершенно чужому человеку и попросить его: «Не могли бы вы мне помочь...» А перед мысленным взором плыл Гейбл-Шариф. Темные знойные глаза его смотрели с укором, он словно напоминал — а любовь?

Тем не менее все следующие дни Лена напряженно размышляла о том, как бы ей найти сексуального партнера. Она думала так напряженно, что вообще чуть не лишилась остатков здоровья. Потеряла аппетит и побледнела. А по ночам, в беспокойных снах, ей, как назло, упорно являлся Кларк Гейбл.

— Не заболела ли ты часом? — как-то спросила Лену по-матерински чуткая Крылова.

— Брать сейчас больничный — преступление, — бросила проходившая мимо Шарлотта Кузьминична, — двадцать читателей в день! У студентов сессия вот-вот начнется, они к нам опять побегут! Не у всех же эти ридеры, прости-господи, проклятые есть. На носу еще две встречи с авторами социально-производственной литературы! Не отчитаемся перед ЦБС — нас закроют.

— Это депрессия, — Наталья была неумолима и точна. Слово «депрессия» она произнесла с особым шиком, как и полагается роковой женщине, вот так — «дэпрэссия». «Отстали бы вы все!» — с отчаянием подумала Лена. Довериться коллегам и рассказать им о своих проблемах она не могла.

Но на ловца, как известно, и зверь бежит. Да-да, не она нашла себе партнера, а ее нашли.

Здесь необходимо небольшое отступление, непосредственно касающееся работы библиотеки.

Как уже упоминалось, данное заведение посещают не только читатели, но и писатели. Вешается объявление заранее, обзваниваются самые активные посетители. И в небольшом актовом зале происходит встреча.

Так вот, тем самым зверем из пословицы оказался... писатель. Точнее — автор сборника статей под общим названием «Социальная жизнь производственника в нестабильное время». Протасов Н. Е. Он явился в библиотеку с предложением выступить перед читателями в ее стенах.

Писатель был еще относительно молод, черноволос, имелись в наличии также и усы — ну чем не вожделенный идеал! Конечно, до Гейбла ему было очень далеко (впрочем, как и до Омара Шарифа), вместо изящной элегантности движений — порывистая развязность, но — брюнет, усы опять же.

Лена, договариваясь о грядущем мероприятии, поглядывала на Протасова с любопытством — он или не он. «Он» — в смысле идеал. А писатель очень быстро уловил это любопытство и, словно завидев перед собой зеленый свет, стал решительно клеиться.

— Да чего там... Зовите меня просто Николаем. А вас как зовут? Лена? Замечательное имя — Елена. Елена Прекрасная. Вы давно здесь работаете? Надо же! Знал бы, почаще бы сюда заходил. Мы ведь с вами, можно сказать, родственные души — трудимся на ниве просвещения. Сложно, да. Сложно и интересно. А вы что завтра вечером делаете?

Флиртуя с мужчиной, Лена продолжала лихорадочно сравнивать его со своими любимыми актерами. «Но даже если это не «он», все равно, для здоровья же необходимо», — подстегнула себя она. Зеленый свет в ее глазах уже густел малахитом. За несколько минут разговора сотворилось то, на что при других обстоятельствах ушли бы дни и даже месяцы.

Они договорились о встрече на завтра — Николай должен был прийти вечером в библиотеку, как только закончится рабочий день. Якобы еще раз обсудить мероприятие.

Был один момент в разговоре. Пуританку Лену несколько покоробило, когда писатель, уже прощаясь, проскользнул к ней за стойку и поцеловал руку. Усилием воли она заставила себя ее не отдергивать, когда что-то колючее, мокрое и абсолютно чужое прикоснулось к ее запястью. Так надо было. «Это же для здоровья», — мысленно успокоила она себя.

Успокаивало также то, что местом их будущего свидания была назначена библиотека. Да, именно ее родная библиотека.

От входной двери было два ключа — один находился в полном и безраздельном ведении Шарлотты Кузьминичны, а другой кочевал между тремя ее подневольными сотрудницами. Кто уходит позже, тот и закрывает за собой дверь. А на следующее утро, само собой, ключевладелец старается прибежать раньше всех.

На самом деле вокруг стального холодного ключика кипели настоящие страсти. Может быть, не кипели — это слишком сильно сказано, — но пузырьки, как в бокале шампанского, уж точно поднимались.

Время от времени роковая женщина Наталья вдруг начинала проявлять несвойственное ей трудолюбие, оставляя ключ у себя. Коллеги ее и начальство расходились, а она оставалась одна среди стеллажей с социально-правовой литературой.

Наутро под библиотечным потолком витал легкий, едва уловимый запах сигарет, вина и мужского одеколона «Барракуда».

«Она здесь со своим хахалем встречалась. Ну, с тем, что на десять лет ее моложе», — как-то, возмущенно тараща глаза, прошептала Лене на ухо обделенная любовью Крылова. Лену тогда поразил факт Натальиного бесстыдства — ну как же среди книг делать *это*!

Шарлотта знала о Натальином легкомыслии, но об этих свиданиях не догадывалась. А если б все-таки догадалась, уловив притупленным от возраста обонянием недозволенные ароматы, то ее бы просто-напросто хватил удар. Почтенное заведение превратить в дом свиданий!

На следующий день Лена работала со странным чувством. Бегая от стеллажа к стеллажу и расставляя книги на установленные им библиотечной наукой места, она постоянно и неосознанно поглядывала на ковер под ногами, плюшевые сиденья стульев, на деревянную стойку, за которой обслуживали посетителей — поглядывала с некоторой опаской и смущением, словно на них кто-то мелом написал непристойности. О том, что должно было произойти здесь вечером, Лена старалась вообще не думать.

Когда иссяк поток посетителей и пора было закрываться, Лена решительно затребовала ключ себе. «Необходимо дописать сценарий для вечера, посвященного социально-производственной тематике», — объяснила она причину своей задержки. Никто не усомнился в правдивости ее слов, лишь Наталья порочно вздохнула и заявила, что завтра ей тоже, скорее всего, придется поработать дополнительно.

— Смотри не надорвись, — с намеком сказала ей Крылова.

— Ни в коем случае, — также с намеком ответила ей Наталья, — я люблю свою работу. А работа любит меня.

— Ладно, девочки, не будем мешать Лене, — остановила их Шарлотта Кузьминична — поскольку общественные мероприятия везла на себе только ее самая младшая сотрудница Лена, а ЦБС в свое время еще потребует отчета — и не дай бог, количество этих мероприятий окажется ниже нормы. Намеков заведующая не поняла — для нее они были слишком тонко замаскированы.

Минут через двадцать, когда город уже стал таять в сиреневых майских сумерках, на пороге появился последний посетитель — Николай. Пока он раскланивался, расшаркивался и бегал настороженным взглядом по сторонам — еще не одни они, или уже одни? — Лена в последний раз пыталась что-то решить. «Пока не поздно. Нет, уже поздно. И потом — это же для здоровья!»

Николай тем временем понял, что они уже одни, что дверь за ним закрыта, и наконец приободрился — теперь все ясно, все определенно.

— Ну что, где тут можно расположиться? — барским движением обнял он Лену за плечи.

— Идемте на абонемент, — суховато ответила она, поскольку хоть и имелись у Николая черные усы, но к делу ей хотелось приступить без излишних пылкостей и нежностей — они к здоровью прямого отношения не имели.

У автора социально-производственного сборника оказались с собой крохотная бутылочка коньяка — из тех, что покупают как бы на пробу, пакетик козинаков и грамм двести докторской колбасы, уже порезанной. У Лены очень кстати к этой колбасе нашелся хлеб, оставшийся после обеда.

От волнения ее даже немного подташнивало, хотя волноваться было глупо, некоторый опыт любви у нее имелся — благодаря тому самому институтскому роману, а больше бояться, собственно, было нечего.

— Тихо здесь, даже как-то неуютно, — Николай оглядел стеллажи с книгами.

— Я включу музыку.

Лена покопалась в настройках проигрывателя, не находя ничего, что могло бы соответствовать первому свиданию, потом все-таки остановилась на канале классической музыки.

Они сели за журнальный столик, Николай разлил коньяк в пластиковые стаканчики.

— Ваше здоровье, — сказал он. Очень актуальный тост! Лена смущенно опустила глаза.

Коричневатой жидкости плескалось на дне совсем немного — грамм двадцать, тридцать, — но когда Лена невольно вдохнула спиртовой резкий запах, то новая волна тошноты подкатила к горлу.

— Вы не нюхайте, вы пейте, — ласково поправил ее Николай. Коньяк влился в Лену в два судорожных глотка, вкус докторской тоже был определенно каким-то медицинским — отдавал карболкой. — И давайте-ка сменим канал.

Николай покрутил настройки у проигрывателя, поймав волну с шансоном. Лена шансон ненавидела. К тому же козинаки намертво сцепили ей зубы. «Как бы пломба не выпала! — испугалась она. — Светоотверждаемая, дорогая. На той неделе только поставила!»

— Лена, это будет, наверное, нескромно...

— Говорите! — с трудом проглотив козинак и не слыша собственного голоса, потребовала она.

— Лена, я вас хочу.

Она машинально, точно дожидалась этих слов уже давно, кивнула, усилием воли выпихнула себя из-за стола и принялась раздеваться.

Краем глаза она увидела, что Николай тоже раздевается. Он скинул с себя все, кроме рубашки — ее он просто расстегнул, а галстук не снял, а только распустил. Рубашка с галстуком несколько озадачили Лену — и она тоже решила раздеваться не до конца. Оставшись в шерстяном свитере, связанном мамой специально для прохладных майских вечеров, она произнесла:

— Я готова.

Огляделась лишний раз и легла на ковер. «Это же для здоровья...» Глаза она закрыла.

Николай ткнулся губами ей куда-то в ухо, прижал рукой грудь через свитер, а потом приступил непосредственно к делу.

...Лопаткам вскоре стало очень неудобно на полу. Откуда ни возьмись приплыли мысли о Натальином хахале. А вдруг он настолько предусмотрителен, что является сюда с раскладушкой? Затем мысли потекли в следующем направлении — как бы не проспать завтра. Ключ-то — у нее! Затем... а затем Лена открыла глаза. Да сколько это может еще длиться?! Увидев, что Лена обратила на него внимание, Николай попытался ослепительно улыбнуться. Лицо у него было красным, на лбу блестели капельки пота. Судя по его ожесточенному виду, до завершения было еще далеко.

Через пять минут он закинул свой полосатый галстук за спину. Еще через пять минут он попытался снять рубашку, не меняя исходной позиции. Тут уж Лене совсем стало невмоготу.

— Николай, вы не могли бы встать на минуту? — с робкой вежливостью спросила она. — Мне надо срочно выйти.

— Что? Ах, да... извините.

— Благодарю.

Лена выскользнула из-под его разгоряченного тела и устремилась к заветному месту — мимо стеллажей с книгами, мимо читального зала, потом по длинному коридору — в конце его находился туалет.

Ей казалось, что в желудке у нее плещутся едкие чернила. После минуты мятежных раздумий она склонилась над унитазом и исторгла в его ржавое казенное нутро весь романтический ужин.

Потом умылась и посмотрела на себя в зеркало.

— Это же для здоровья! — пропищала она кукольным голосом своему отражению. И согнулась в приступе неудержимого смеха.

Это была не истерика, это был обычный веселый смех, после которого Лена почувствовала, как вся грязь этого вечера отваливается от нее, а в душу входит благостное умиротворение. «Нет, он не Омар Шариф, и не Кларк Гейбл. Он просто резиновый фаллос из секс-шопа...»

Стараясь натянуть свитер пониже — не от застенчивости, просто в коридоре сильно сквозило, — Лена зашлепала обратно. Ее скороспелый любовник сидел в кресле в чем мать родила и листал «Технику — молодежи».

— Извините за столь поспешный уход. Так некстати... Мне нехорошо вдруг стало, — Лена изобразила голыми ногами что-то вроде книксена.

— Я понимаю, — мужественным голосом подбодрил ее Николай, хотя он ровным счетом ничего не понял, — так продолжим?

Мурашки еще не угасшего смеха пробежали у Лены по спине.

— Продолжим. Только теперь вы ложитесь на ковер. Так сказать, поменяемся местами.

Через час Лена, вполне ощутившая терапевтический эффект, выпроводила своего любовника. На завтра было назначено новое свидание — эффект эффектом, но здоровье требовало именно регулярных встреч.

Следующим утром, придя раньше всех на работу, Лена вдруг вспомнила, что остаться им с Николаем тут не удастся — то же самое собиралась сделать сегодня Наталья со своим любовником. Но из обрывков фраз, которыми они все-таки успели обменяться накануне, Лена узнала, что у Николая есть отдельная квартирка, которой он владеет единолично. Вот они туда отправятся... О том, чтобы вести его к себе домой, и речи быть не могло — дома обитали мама, папа и приехавшая на месяц из Твери тетя Нюра.

Рабочий день прошел в хлопотах и беготне, к тому же все остались без обеда — в середине дня нагрянула комиссия из центральной библиотеки и, выражаясь языком приснопамятного шансона, навела шухер.

Словом, когда в окна снова заглянули сиреневые майские сумерки, Лена чувствовала себя разбитой, но главное — ужасно голодной.

Крылова с Кузьминичной уже суетились в передней, и Наталья нервно поглядывала на Лену. Оставаться дольше было нельзя — и Лене пришлось покинуть библиотеку вслед за коллегами.

Она встала на пороге, дожидаясь Николая. Через какое-то время в библиотечную дверь принялся звонить молодой человек, разбавляя весенний воздух запахом «Барракуды». Лена спряталась за водосточную трубу, дабы не смущать Наталью. Ее собственный любовник все не появлялся.

Минут через сорок, когда ей уже до смерти надоело прятаться за трубой, да и глупо это было — в желудке у Лены урчало на всю округу, библиотекарша плюнула на все и пошла к метро.

И тут на полдороге она столкнулась с трусившим ей навстречу Николаем.

— Пардон, пардон, — запыхавшись, принялся оправдываться он.

— Никаких «пардонов»! — Лена была в гневе. — Вы опоздали на целый час!

На лицо Николая легким облачком наползла скорбь, и он грустным голосом принялся рассказывать о том, что уже собирался уходить из дома, как ему вдруг позвонили из издательства по одному чрезвычайно срочному делу, потом он бежал к метро, бежал через стройку, чтобы сократить расстояние, но стройка, как назло, оказалась вся перерыта ямами, завалена мусором и кишела целыми ордами пьяных хулиганов. А когда он наконец попал в метро, то поезд застрял в туннеле на полчаса.

Хоть Лена и оказалась несколько загипнотизированной этим драматичным рассказом (писатель, все ж таки!), но ей было очень трудно успокоиться.

— Но вчера-то вы пришли вовремя! — крикнула она.

Тогда ей был предъявлен последний аргумент — пакетик с булочками.

— Вот. Стоял в очереди. Хотел купить к чаю чего-нибудь сладенького. Я думал, мы сегодня будем пить чай.

При виде этого пакетика Ленино сердце начало потихоньку оттаивать.

— Ладно, — примирительно сказала она, — не будем ссориться. Идемте пить чай к вам домой.

— Как — ко мне? — опешил Николай. — А почему не к вам в библиотеку?

— Наша библиотека — не дом свиданий, — отрезала Лена, — сегодня там моя коллега... работает.

Николай весь перекривился от растерянности:

— Но ко мне тоже нельзя...

— Это почему же? Вы, как я поняла, живете один, в отдельной квартире.

— Да, но у меня же... у меня же страшно неубрано! — И Николай привычным размеренным голосом эпического рассказчика, словно Лена была уже не первой девушкой, которая рвалась к нему в гости, принялся живописать свое жилище старого холостяка и, одновременно, творческой личности. Причем живописал это жилище с такими подробностями и такими яркими красками, что Лену мороз по коже продрал. Николай себя не щадил — он поведал даже о своих носках, которые обычно висят у него на люстре — после чего Лена попросила прервать повествование и сказала, что действительно... не стоит идти к нему.

Николай плавно перешел к рассказу о тяжелой писательской жизни. В издательском мире кризис, опубликоваться можно только за свой счет («Вы знаете, я все свои средства потратил, чтобы издать этот сборник!»), пираты в Сети распоясались, а читатели — совсем обнаглели — скачивают книги из Интернета бесплатно.

Лена согласно вздохнула — вот-вот, и библиотеки, не дай бог, скоро закроют... Какие читатели, когда все повадились из Интернета читать?..

Они медленно брели в сторону метро. До дома было еще далеко, вожделенный ужин скрывался в неясном будущем.

— Давайте сюда свою булку, — сказала Лена, — ужасно есть хочу.

Уж в этом ей Николай не мог отказать, поспешно зашуршал пакетиком, передал угощение. Лена, особо не приглядываясь, открыла пошире рот, чтобы захватить побольше нежной сминающейся массы, пахнущей ванилью и обсыпанной сахаром — таковой в ее голодном воображении представлялась булочка, укусила, и... во рту что-то хрустнуло. Пломба! Выпала. Ленины мечты фатально не сбывались сегодня — булочка на деле оказалась засохшим куском какого-то бездарного печева. Ни тебе ванилина, ни хрустящей сахарной корочки — вообще, непонятно, как за таким несъедобным продуктом могли стоять в очереди. У Лены было такое чувство, будто рот у нее набит пенопластом. И пломбу-то, пломбу как жалко...

— Вкусно, правда? — добродушно спросил Николай. — Я выбрал самую дорогую выпечку.

— М-м-м... — первым желанием Лены было выплюнуть эту подозрительную булку, но тогда бы Николай точно обиделся — а ведь он еще нужен в оздоровительных целях. Собрав все свое мужество, Лена прожевала кусок и вместе с обломками пломбы усилием глотательных мышц затолкала его в желудок.

Вторую попытку утолить голод она не решилась предпринять, хоть Николай и смотрел на нее поощрительно. Наверное, он действительно стоял в очереди, но, судя по всему, это было бог весть как давно.

— А что мы будем делать сейчас?

— А мы уже это делаем — мы гуляем. Дышите воздухом, Леночка, любуйтесь природой. Нет ничего прекраснее теплого весеннего вечера. Молодая листва, щебетание птиц... и все такое прочее.

Лена уныло кивнула — да, дескать, я дышу. Окаменелая булка оттягивала ей руку, и положить ее было некуда — на плече у Лены болталась кокетливая маленькая сумочка — только зеркальце в нее и запихнешь, а хозяйственную она сегодня не брала, потому что как-никак на свидание собиралась...

Мимо проносились машины, оставляя за собой серые облака выхлопных газов. С другой стороны тянулась обширная свалка, по которой с мерзким карканьем прыгали несколько наглых городских ворон. Из всей природы были только кустики чертополоха, неряшливо торчавшие у обочины. Лена посмотрела на них с ненавистью — внутри у нее снова закипало возмущение. Рука, которой она держала булку, постепенно немела.

Неожиданно от кучи мусора отползла на четвереньках какая-то темная личность, своим собственным оригинальным запахом заглушая ароматы свалки.

— Подайте нищему на пропитание! — загнусила личность настырно, тычась Лене под ноги.

Удобнее повода избавиться от проклятой булки не найдешь! И опять же доброе дело — человек с голоду умирает, Николай не сможет придраться.

С улыбкой милосердия Лена протянула нищему булку.

Личность посмотрела воспаленным взором на предложенное ей пропитание, пробормотала несколько слов, очень ясно дающих понять, что она, личность, оскорблена в своих лучших чувствах, и шустро уползла обратно, на свалку.

Но Николай все-таки решил придраться.

— Это невежливо с вашей стороны, — обидчиво заметил он. — Я, может быть, старался, покупал, нес...

— Ну и дурак, что старался, — вдруг сказала Лена, — и врешь ты все — этому плесневелому сухарю сто лет в обед!

— Вы что, оскорбить меня хотите? — моментально прокис ее спутник.

— Да, хочу! — закричала она. — Потому что более убогого мужичонки, чем ты, я в жизни не видела! — тут она, конечно, покривила душой, ибо был в ее жизни еще Юрик, который... но это было уже не важно, потому что Николай повернулся и быстро пошел прочь, всем своим видом показывая, что никаких терапевтических услуг Лена от него больше не дождется.

Она несколько мгновений смотрела ему вслед, потом размахнулась и швырнула булку на кучу мусора, сбив нечаянно с ног одну из прыгавших по ней ворон. Та с душераздирающим воплем забарахталась в картофельных очистках, но после все-таки нашла в себе силы и взмыла высоко в небо.

«К черту всех... К черту это здоровье! Ну Кабанец, старая перечница! Чтоб тебе...»

Было уже довольно поздно, когда Лена пришла домой и закрылась у себя в комнате, презрев просьбы тети Нюры поесть ее, тети Нюриных, фирменных котлет.

Девушка распустила волосы, разделась и встала перед зеркалом, принялась оценивающе разглядывать себя. «А я ничего так... Даже очень!»

В зеркале отражалась Прекрасная Елена. На заднем фоне плескалось море, а по нему — бесконечной чередой тянулись парусники. Один из парусников, тот, что с алыми парусами, внезапно сбился с курса и, словно под влиянием какой-то неумолимой силы, стал приближаться к берегу, на котором стояла обнаженная красавица.

...Кстати, в этот же вечер у доктора Кабанец должно было состояться романтическое свидание, на квартире у некоего пенсионера — крепкого еще мужчины, бывшего стрелка ВОХРа. Но свидание не состоялось, поскольку на доктора Кабанец вдруг ни с того ни с сего напала сильная икота, однозначно не позволявшая заняться романтикой.

НЕМЕЗИДА

Вера спала, и ей виделся странный сон — будто она фея. Настоящая фея с прозрачными слюдянистыми крылышками... Крылышки видно, если повернуть голову чуть в сторону.

Если опустить голову, то видно еще розовое платье с кружевными воланами, на ногах — босоножки со шпильками. Все, и платье, и туфельки — в стразах. И от ее, Вериной, кожи тоже исходит прозрачное переливающееся мерцание.

Она — летит. Так легко, так приятно скользить вместе с воздухом, точно на волнах качаешься... Внизу — травка зеленая, цветы. Музыка еще нежная, дивная откуда-то доносится. Словом, не сон, а самая настоящая сказка. Наверное, впереди Веру в ее сне ждут какие-то необыкновенные события. Может быть, она окажется в чудесном замке, полном волшебства и сокровищ, а может быть, впереди ее ждет встреча с прекрасным принцем...

Но сон девушки прервался самым жестоким образом.

— Вера! — это материн голос прогнал наваждение. — Пора вставать. В институт опоздаешь.

— А чего я там не видела... — пробормотала она. И уже громче: — Сейчас, мама! Уже иду.

В который уже раз ей снился этот чудесный сон. И вот поди ж ты, ни разу так и не удалось досмотреть его до конца...

На кухне у плиты хлопотала мать.

Утренний омлет. Утренний кофе.

— Ты вчера поздно спать легла. Часов до двух у тебя свет горел.

— Да, — скорбно вздохнула Вера, — я реферат писала.

— Написала?

— Ой, мамочка... — она сладко потянулась. — Ничего не получилось. Тема какая-то дурацкая: «Проблема положительного героя в русской литературе».

— По-моему, ничего сложного. Выбрала бы князя Мышкина и по нему скачала бы что-нибудь из Интернета.

— Мама, ну о чем ты говоришь! О князе Мышкине половина группы напишет. И вообще, это такая тоска — положительный герой.

— Возьми не Мышкина, другого.

— Кого, мама, кого?! Положительных героев нет в русской литературе. А если есть, то такие зануды. Тоска зеленая.

— Вера, ну что ты несешь! А в жизни как же тогда?

— Да в жизни все так же.

— И ты предпочла бы со злодеем общаться, нежели с *приличным юношей?!*

— Ма-а-ма... Конечно я предпочла бы приличного.

— Ты моя девочка! — мама звучно чмокнула дочь в лоб. — Какое же ты еще несмышленое создание...

Одна в лес не ходи, слышишь? Вчера объявление видела — у нас в районе объявился маньяк. Самый настоящий!

— Мам, но нельзя же всего бояться.

— Вера! Я сказала: в лес одной — ни-ни. И не одевайся ты в яркое, к чему привлекать внимание всяких дураков и психов?

Но Вера любила яркое. А еще блестящее и переливающееся. И Вере все это шло, потому что личико у девушки было детское, невинное, длинные светлые волосы...

Вообще, одежда — Верина страсть. Была бы ее воля, она бы все деньги только на шмотки тратила — не пила, не ела бы. Останавливало Веру одно — мама на трех работах работала, хоть как-то концы с концами пыталась свести. Поэтому тратить мамины деньги вот так, безраздумно у Веры рука не поднималась. Хотя знала — маме для нее ничего не жалко... Попросит — мама даст, а сама в старье ходить будет.

Жалко маму... Вера пошла бы работать, но мама не разрешала. Надо выучиться, получить диплом... Если на подработки время тратить — из института можно вылететь. А без корочки о высшем образовании нынче и в дворники даже не берут.

...В институте доцент Яблонский, большой специалист по русской литературе, требовал со всех рефераты.

— Борис Михалыч, я завтра сдам, — пришлось поканючить Вере, дабы разжалобить принципиального Яблонского, — я его написала, честное слово, только дома на столе забыла.

— Ну что за детский сад, Полякова, — заиграл желваками Яблонский, с ненавистью оглядывая Веру. — Вы мне это второй год твердите. Не надоело? Могли бы что-нибудь поинтереснее придумать. Ну какой из вас учитель, боже мой...

— Борис Михалыч! — в голосе Веры зазвенели слезы.

— Ладно, черт с вами. Но чтобы завтра — и ни днем позже. Иначе отчислят вас, — раздраженно отмахнулся доцент. А потом выдал неожиданно: — И что ж вы все, девчонки, так бездарно одеваетесь, это же сельский гламур какой-то...

Вера возвращалась домой в некотором раздражении. Ох уж этот Яблонский... Испортил настроение, испортил вечер своим рефератом. А она собиралась с Катькой в кино, на модное нынче 3D, которое в специальных очках надо смотреть.

Ладно, чего зря расстраиваться. Кино будет завтра, а остаток этого дня придется провести в обществе князя Мышкина. Хотя, как выяснилось, уже действительно полгруппы о нем написали. Но что делать? Можно же из института вылететь, всю судьбу себе сломать. Попробуй еще найди другой вуз, где тебя на бюджетное отделение согласятся взять!

...Выйдя из метро на конечной, Вера села в автобус, который повез ее за пределы кольцевой дороги. Дорога отнимала кучу времени. Утром два часа до института, вечером два часа обратно...

Наконец, Верина остановка. Тоже конечная. Девушка вышла из автобуса. Было еще светло. С одной стороны дороги стояли сплошняком дома, а с другой — сиял золотом сентябрьский лес.

Вера встала спиной к новостройкам. (В одном из этих домов была и их с мамой малогабаритная «двушка».) Перед ней, с другой стороны дороги, был только лес, сплошной лес — и ни единого домика, ни трансформаторной будки, ни ларька — ничего такого, что было бы создано человеческими руками. Дикая природа. И эта природа неудержимо притягивала к себе Веру.

Было на редкость безлюдно. Наверное, час такой — четвертый час дня, — когда взрослые на работе, малышня еще дрыхнет, пользуясь своим законным дневным отдыхом, а с собаками гулять пока что рано.

Эх, насобирать бы листьев, расставить осенние букеты по всем комнатам... Уж так неохота Мышкиным заниматься.

Вера сделала шаг вперед, к пешеходной «зебре». Как раз горел зеленый свет. И в этот момент — вж-ж-ж! — на дикой скорости пронеслась мимо машина. Желтая, низенькая, без верха, как его... кабриолет. В машине сидели парни, один из них проорал на ходу Вере что-то оскорбительное. Из серии — куда прешь, дура!

— Сами придурки, — оскорбленно прошептала Вера вслед кабриолету. Вздохнув, перешла дорогу.

Прежде чем спуститься вниз, в небольшую ложбинку перед лесом, Вера скользнула взглядом по фонарному столбу.

Объявление. «Их разыскивает милиция». Оказывается, мама ничего не придумывала: маньяк-насильник-убийца бродит по здешним окрестностям. Приметы — на вид 30—40 лет, среднего телосложения, рост 170—175, правильные черты лица, темные волосы, черная куртка.

Гм... Ну и что ж теперь, не жить, что ли?..

Только на миг Вера оглянулась на спасительный частокол домов за спиной, а потом, подбрасывая ногами опавшую листву, сбежала в ложбину.

До чего же красиво!

— Лес словно терем расписной — лиловый, золотой, багряный... — воодушевленно бормотала она стихи из детства, прилежно собирая разноцветные листья в охапку.

«А он ничего, этот маньяк, — вдруг подумала она, — судя по приметам — совсем не старый еще и довольно симпатичный. И зачем ему надо на девиц нападать. Некоторые сами бы ему на шею бросились. Бери — не хочу. Взять, например, ту же Катьку...»

В глубине леса маячил огромный клен. О, кленовые листочки! Самые красивые.

Вера обожала кино. Мелодрамы, ужастики, приключения... Да все подряд, лишь бы трогательно и интересно было. Вот недавно они с Катькой смотрели какой-то триллер. Некий маньяк (опять же, в тему оказался фильм!) нападает на девушек, и никто не может его поймать.

И вот одна отважная девушка решается спасти город. И становится, что называется, «живцом». Одевается соответственно, ходит по всем кафе, вызывающе себя ведет... К ней, конечно, пристают, но все не те. А она пистолет даже умудрилась достать!

И однажды она понимает: вон тот парень — маньяк. Знакомится с ним. Они идут вместе, болтают. Место еще какое-то глухое, завод заброшенный или стройка... Они туда заходят. Маньяк уже ручки потирает... Но не на ту напал. Девушка исхитряется и убивает его.

Наверное, героине того фильма было очень страшно. Этот миг, когда преступник только смотрит на тебя, но еще не нападает, этот миг, когда он только тянет руки к твоей шее, но они еще не успели сомкнуться и сделать тебе больно...

Миг между жизнью и смертью. Страшное испытание, невероятное напряжение, полная концентрация мыслей и чувств! Ведь если девушка, выбравшая роль «живца», промедлит, не успеет достать из кармана пистолет и крикнуть: «Руки вверх, негодяй, теперь играем по моим правилам...» — то пиши пропало.

Но это в кино. А в жизни как? Вот смогла бы она, Вера, так рискнуть? Балансировать на грани жизни и смерти... для того, чтобы свершилось возмездие?.. «Гм. Но пистолета-то у меня нет, как у той девицы из фильма! Не голыми же руками маньяка убивать? Он мужик, сильный, а я слабая девушка, я даже приемами карате не владею!» — размышляла она.

Не сразу Вера опомнилась — кажется, она зашла слишком далеко в лес. Ладно, последний кленовый листик — и все, надо бежать домой. Мышкин ждет.

Вера наклонилась за огромным багровым листом, и внезапно ее обоняние защекотал табачный дым.

Оглянулась — и правда, стоит кто-то неподалеку, среди деревьев. Мужчина. Лет тридцати, среднего роста, черноволосый, бледный, со взглядом нервным и мрачным. Симпатичный на вид. Одет он был тоже в черное. Курит. Смотрит.

За ним, сквозь деревья, вдали, была хорошо видна автобусная остановка. Абсолютно пустая.

Вера пыталась лихорадочно вспомнить приметы того маньяка, о котором упоминалось в объявлении. Кажется, тот был тоже черноволосым... Мама! Это он. Маньяк. Главное, не спровоцировать его на нападение. Не показывать свой страх. Надо заговорить с ним. Да, точно.

— Здравствуйте, — сказала Вера, стараясь смотреть на незнакомца максимально ласково. — Какая погода сегодня хорошая, да?

Тот выпучил глаза (наверное, не ожидал, что ему попадется такая болтливая жертва), а потом промямлил неуверенно:

— Ага. Хорошая погода.

— В моем букете не хватает дубовых листьев, — сообщила огорченно Вера. — Такая незадача... Без них моя коллекция будет неполной. Видели вы тут дубы неподалеку?

Мужчина поморгал глазами, а потом ответил:

— Типа того. Показать?

Ага, он уже ее заманивает... Отказаться? Но он поймет тогда, что она догадалась, что она боится его, он нападет на нее сразу, чтобы не дать ей уйти. А что, если последовать за ним? В глубину леса, туда, где нет людей, все дальше от автобусной остановки... Вдруг ей удастся справиться с ним?

— Да. Покажите мне это местечко! — улыбнулась Вера.

Она будет покорной и глупой, как овечка. Чтобы маньяк потерял бдительность! А она стукнет его какой-нибудь деревяшкой по голове. Оглушит и обезвредит...

Они пошли рядом. Мужчина время от времени зловеще вздыхал. А девушка мечтательно поглядывала по сторонам, словно любуясь природой, а на самом деле — в поисках той самой деревяшки...

— Как вас зовут? — наконец спросил он.

— Вера.

— Вы что, совсем одиноки, Вера? — своего имени он так и не назвал.

— Смотря что считать одиночеством, — она тоже вздохнула, стараясь произвести впечатление существа слабого и несчастного, — у меня нет друзей, у меня нет молодого человека, — но я не считаю себя одинокой. Со мной мои книги, сны, видения.

«Нет друзей...» Услышала бы это Катька! Но мне же надо его сбить с толку?»

— Вы счастливы, Вера? — все тем же надрывным голосом спросил мужчина. — Вы никогда не стояли перед мучительным выбором?

— Я была бы счастлива, если б хоть одна душа в этом мире любила и понимала меня.

— Нет, вы все равно счастливы. Вы не испытывали чувства зверя, загнанного в угол.

«Точно он! — по спине у девушки побежали ручейки холодного пота. — Не надо дать ему раскрыться первому. Главное — неожиданное и оригинальное решение вопроса!»

Опавшие листья под ногами пахли тленом. Запах смерти. Солнце едва пробивалось сквозь деревья — они зашли довольно далеко. Ничего похожего на деревянную либо какую другую биту Вера по дороге не обнаружила и решила предпринять психическую атаку. В принципе, если маньяк испытает к ней сочувствие, то не станет на нее нападать (как в любимом фильме «Молчание ягнят» — Лектор же не стал убивать Клариссу, он помог ей). Ну, а потом Вера найдет способ обезвредить маньяка! И она пошла ва-банк:

— Вы не поверите, но я искала вас.

Мужчина вздрогнул, с изумлением посмотрел на нее.

— Что вы так смотрите? — решительно продолжила девушка. — Я пришла к вам. Я ваше утешение, я ваше искупление, я пришла затем, чтобы любить вас, — хорошо, хорошо, как можно больше мелодичности в голосе, нежности — в лице... — Теперь вам ничего не надо бояться. Обнимите меня. Забудьте все плохое, что было в вашей жизни. Как вас зовут?

— Ар... Артем! — сглотнув, произнес тот.

— Артем... Прекрасное имя! — вдохновенно произнесла Вера.

Неожиданно лес кончился. Они стояли перед дорогой, по которой время от времени проезжали машины. «Надо же, я его обхитрила! — удивилась Вера. — Как все просто, оказывается. Я шла по лесу с маньяком, а он даже не посмел на меня напасть. Эх, надо было в театральное поступать!»

С той стороны дороги высился многоэтажный дом, уже почти готовый ко вселению. Вокруг — кучи строительного мусора.

«Ну ладно, я-то сумела спастись, а как же остальные девушки?» — подумала Вера. И опять вспомнила тот фильм, который они недавно с Катькой смотрели.

— Артем, вы не могли бы меня проводить?

— Далеко?

— Нет, вон туда, напротив.

— Туда? Это ж вроде нежилой еще дом...

— Жилой. Просто не все жильцы еще вселились, — уверенно возразила Вера. — Проводите меня, а то страшно.

— Ладно, чего там... — пожал плечами маньяк. — Пошли.

Они перебрались через кучи строительного мусора, вошли в подъезд. Лифт не работал, естественно. Черная-черная лестница.

Они стали взбираться по ней. Вера мужественно зашагала вверх. Артему ничего не оставалось, как следовать за девушкой.

Кажется, последний этаж.

— Уф, ну все, что ли?

— Нет, не все, — непреклонным голосом произнесла Вера. — Идемте за мной, я вам кое-что покажу.

Она потащила Артема за собой. Чердак. Дверь, ведущая на крышу...

Свежий осенний ветер ударил Вере в лицо, разметал ее волосы. Они теперь с Артемом находились под самым небом. До него можно было дотянуться рукой. Во весь горизонт разливался малиновый закат.

— Красота, правда? — закричала она, подбросив свой букет из листьев. Листья подхватил ветер, унес вдаль.

— Правда, — неуверенно крикнул в ответ Артем.

Вера приблизилась к бортику, идущему по периметру крыши, посмотрела вниз. Высоко...

— Идите сюда, Артем! Есть упоение в бою и бездны мрачной на краю...

Тот подошел, продолжая смотреть на Веру странным взглядом.

Она подняла руки, обхватила его шею. И поцеловала. Секунду он колебался, потом ответил на ее поцелуй. «Проклятый маньяк, — подумала Вера. — Сейчас ты у меня за все расплатишься...»

Продолжая целоваться, Вера осторожно повернула маньяка. Расцепила руки, а потом резко, изо всех сил, ударила Артема в грудь.

Тот спиной стал падать, споткнулся, но успел в последний момент перевернуться, уцепиться за бортик.

— Ты что, совсем сдурела! — заорал он. — Сумасшедшая...

Мужчина упал на гудроновый настил, перекатился, потом вскочил на ноги и рванул к двери, ведущей на чердак.

Секунда — и его уже не было. Вера постояла немного на крыше, поглядела на небо. Самое интересное, страха она не чувствовала, только азарт. Оказывается, очень просто наказывать преступников. Только жаль, что ничего не получилось...

Вера вернулась домой. Примерно через час пришла мама с работы — какая-то возбужденная сегодня, взволнованная.

— Ты представляешь, Верочка... Мало у нас одного маньяка, так второй завелся! Вернее, вторая. У Алевтины Павловны сын, я ее сейчас встретила, так чуть не убили его. Какая-то девчонка... Заманила на крышу и чуть не сбросила!

— Что? — вздрогнула Вера.

— Сумасшедшая, говорю, в районе у нас появилась!

— А вдруг он сам маньяк, сын твоей Алевтины? — нахмурилась Вера. — Напал на девушку, а она ему дала отпор...

— Да какой он маньяк! — всплеснула мама руками. — Он только сегодня утром приехал из Питера. Алевтина говорит — жену хочет бросить, новую пассию себе нашел. Алевтина в шоке — там же внучка уже растет, полтора года ей! Приехал к матери, посоветоваться... Весь такой в сомнениях — уходить от жены, не уходить? Гулять отправился, а тут на него сумасшедшая напала... Представляешь, говорит ему — проводи меня...

Вера уже не слушала мать. Значит, тот парень, Артем — все-таки не маньяк, если только сегодня из Питера приехал. А маньяк орудует в их районе давно. «Хорошо, что у меня ничего не получилось, а то невинный человек пострадал бы! Хотя... какой же он невинный? Жену бросить хочет и дочку. Подлец. Подумал бы, как потом его дочь расти будет... Одна, без отца. Любовницу себе нашел! У мужчин все так просто... Он себе новую нашел, а его бывшая жена, может быть, уже на всю жизнь обречена на одиночество. Кому она нужна, с чужим ребенком?! А еще и алименты откажется платить... Принесет справку, что он безработный — а жена с дочерью от голода загибайся...»

Вера не стала ужинать, закрылась у себя в комнате.

Ей вдруг так холодно стало, тоскливо. От мысли, что нет в жизни справедливости. От того, что все беды — от мужчин. Это они преступления совершают, они своих детей бросают, они хамят и наглеют все больше...

А доцент Яблонский? Злой, жестокий дядька. Грозился отчислить Веру... И назвал ее «сельским гламуром»! Да какой он после этого доцент... гад он.

Находясь в расстроенных, смятенных чувствах, Вера так и не написала реферат.

Заснула, а во сне вновь увидела себя в образе крылатой феи. Но на этот раз сон имел продолжение. Вера опять куда-то летела, летела... И, как оказалось, не к прекрасному принцу и не к роскошному замку.

Внизу, на земле, творились беспорядки, бесчинствовали негодяи, обижали слабых и малых. А Вера, как выяснилось, была никакой не феей, а летающей мстительницей — она наказывала виновных, пуская в преступников стрелы. Кстати, если повернуть голову в сторону чуть сильнее, то за спиной можно было увидеть не только трепетание мощных, прозрачных крыльев, но заметить еще и колчан со стрелами.

...Утром девушка отправилась в институт, думая о том, что же такое придумать, чтобы ее не отчислили. «А тут все просто. Я скажу, что доцент Яблонский ко мне приставал. Его самого из института выгонят! Хотя... одного слова мало. Мне, пожалуй, могут не поверить. Надо сценку разыграть. Актриса я или не актриса? Зайду к нему на кафедру, когда никого не будет, там разденусь. Он придет, я кричать начну... Люди прибегут и увидят... Да, точно!»

Вера энергично шагала к остановке вдоль дороги. Потом услышала гудение вдали, увидела приближающуюся желтую точку. Это вчерашние придурки на желтом кабриолете.

Носятся по району на бешеной скорости, не обращая внимания на светофоры. А если кто на дорогу выскочит?

Вот как с этими негодяями бороться? Она слабая девушка, а их — несколько человек, к тому же они на машине. Не под колеса же бросаться?

А почему бы и нет? Решение пришло мгновенно. Страшно? Нет, ни капельки. Она же богиня мести, богиня справедливости, и с ней ничего не должно случиться...

Вера, полная холодной ненависти, остановилась неподалеку от пешеходного перехода. Сиреневый куст с уже начинающей облетать листвой загораживал ее. Как раз загорелся зеленый. Кабриолет с ревом приближался. Судя по всему, водитель перед светофором тормозить и не собирался.

Вера выскочила на переход, когда машина была уже в нескольких десятках метров от нее. Появление человека на дороге оказалось полной неожиданностью для водителя кабриолета. Р-раз, и, избегая столкновения, кабриолет нырнул в сторону, выехал на встречку, а потом вылетел в кювет — с той стороны, где был лес. Грохот, потом взрыв, языки пламени... Бензобак, наверное, взорвался, или что там в автомобиле есть.

— Правила дорожного движения соблюдать надо, — мрачно произнесла Вера и вдоль пустой дороги побежала дальше — к конечной остановке автобуса. Еще с Яблонским предстояло разобраться...

ОШИБКИ СЛЕДСТВИЯ

Я в тупике. Я загнана в угол!

Если я срочно не приму какое-то решение, то сойду с ума.

Хотя, со стороны, у меня вроде бы все в порядке. Я здорова, не работаю, детей у меня нет пока, мы с мужем живем в собственной квартире. Муж мой, Макаров — святой. Необыкновенный человек. Не пьет, не курит, от меня до сих пор без ума, на работе его уважают. Платят мужу немного, но нам хватает. Ни долгов, ни кредитов у нас нет. Едим мало, шмотки мне безразличны. Словом, у меня все есть. Представьте себе, у меня даже любовник имеется!

А что? Я своего Макарова иногда сутками не вижу. Потому что он все время пропадает на своей дурацкой работе. Я свободная женщина, которая может делать, что душа захочет. По сути, я должна быть счастливой! Но я себя таковой не ощущаю почему-то.

А взять, например, мою подругу, Ромашову. Она одна на себе ипотеку тянет и дочку без мужа воспитывает. А еще у Ромашовой язва желудка, с которой она безуспешно борется уже сколько лет...

Но тем не менее я сейчас завидую Ромашовой. Ведь ее в угол никто не загонял, ее никто перед проблемой выбора не ставил. И голову ломать о том, как дальше жить, — ей не надо!

Иногда Ромашова говорит, что я с жиру бешусь, от скуки. Да, собственно, я и любовника год назад завела только от скуки.

Итак, кто он, мой любовник, какой он.

И десятой части достоинств Макарова у него нет. Характер у моего любовника вредноватый, внешне он не особый красавец... Но зато он, мой любовник, тоже совершенно свободен. Потому что он — рантье. Живет на проценты от вкладов. Нет-нет, он не олигарх, но вполне может себе позволить не работать, ездить на приличной иномарке, покупать хорошую одежду, ужинать в хороших ресторанах и два-три раза в год отдыхать на Гоа. Словом, он ничем не занят и поэтому может посвятить мне много времени. Мы с ним гуляем, ходим в кафе, на выставки, в кино, болтаем, смеемся, занимаемся любовью, ссоримся, миримся... В общем, не скучаем днем. А ближе к вечеру я бегу домой, быстренько готовлю ужин (муж мой в еде неприхотлив) и жду своего идеального Макарова, который ни о чем не догадывается.

И никто не догадывался о том, что я веду тайную, двойную жизнь, до тех пор, пока мы с моим любовником в одном кафе не столкнулись с Ромашовой. Сидим, значит, болтаем, смеемся, поцелуйчиками обмениваемся, а тут она... Пришлось их познакомить, любовника и Ромашову. Но, к счастью, Ромашова и бровью не повела. Сидели за столиком уже втроем, очень мило беседовали.

Но потом, на другой день, Ромашова мне все высказала — как можно было променять Макарова, который душу за меня готов отдать, на какого-то лысого уродца, на бездельника?

Но рантье-то круглые сутки свободен, а Макаров — постоянно на работе крутится! Есть женщины, которым важны материальные блага, а мне, именно мне — хочется все время быть рядом с кем-то. Когда я одна, я умираю... — попыталась объяснить я подруге. «А что, Макаров ничего не замечает?» — осторожно поинтересовалась Ромашова уже после того, как я рассказала ей, как весело провожу время со своим любовником. Я улыбнулась и покачала головой.

Да, мой Макаров не замечал ничего и ни о чем не догадывался.

Мой добрый, милый, доверчивый Макаров. Он не замечал ничего именно потому, что он очень добрый, милый и доверчивый. Ну, и я, в свою очередь, конечно, старалась маскироваться... Ведь не совсем же я совесть потеряла. Никто не знал о моих похождениях — потому что я никому о них не рассказывала. За исключением Ромашовой. Но лучшей подруге можно довериться, уж она-то никогда не выдаст? Она же моя лучшая подруга.

Ну так вот, к делу, чего я вдруг переживать стала, почему почувствовала себя загнанной в угол.

А потому, что недавно мой любовник поставил меня перед выбором — либо он, либо муж. Я, естественно, выбирать не хочу, меня все устраивает. А любовник как с ножом к горлу — уходи от мужа, а нет — так расстаемся. Я тянула с ответом, обещала подумать, кормила «завтраками»...

Однажды мы с любовником сильно поссорились на этой почве, и он перестал отвечать на звонки и сам не звонил.

Я поняла, что мы не помиримся, пока я не брошу мужа. И меня это разозлило, я вообще не люблю, когда мной командуют, когда меня в угол загоняют. (Меня в свое время загоняли в угол, замучили командами; наелась я этих ультиматумов и приказов!) Теперь уже я обиделась на любовника...

Но прошло несколько дней, и я вдруг ощутила, что потихонечку схожу с ума.

Ведь раньше-то мой любовник звонил мне каждый день, раньше мы не расставались часами, я проводила с ним целые дни и забегала домой только перед приходом Макарова. А теперь — я сижу дома, на диване, как дура, уставившись в телевизор.

Неразрешимая дилемма. Я не могу уйти от мужа. Я его люблю и не хочу причинять ему боль. Я также не могу расстаться со своим любовником, потому что мне скучно сидеть целыми днями дома, одной.

Каждый из моих мужчин устраивает меня в своей роли. Макаров, конечно, весь в работе, но я знаю, что ему для меня ничего не жалко. Ради меня он хоть кожу с себя сдерет. Вот он какой! А любовник — хоть с ним и весело время проводить, но человек он вредноватый, авторитарный, я уже упоминала. С ним я хлебну горя, если окажусь в полном его распоряжении. Но в качестве любовника он идеален. Словом, ситуация такова — мне невозможно расстаться с мужем, так же невозможно, как расстаться со своим любовником.

Ох, что же делать...

Я думала, думала и вот что придумала. А ведь неспроста любовник пристал ко мне с этим ультиматумом. Ну прямо как нож к горлу приставил. «Выбирай — или я, или муж». А вдруг он тоже сейчас *выбирает*? Мой любовник то есть. Между мной и какой-нибудь другой женщиной, тоскующей по семейным узам, которая ну просто спит и видит, как бы за кого-нибудь замуж выйти. Я разведусь с Васькой — любовник со мной пойдет к алтарю, не разведусь — к алтарю он потащит свою новую пассию.

Ситуация ясна. У моего любовника появилась любовница!

И как бы это выяснить? Может быть, попытаться выследить его?

Это глупо, конечно — выслеживать, вынюхивать, заставать врасплох, но меня буквально затрясло от ревности и злости, когда я поняла, что мой любовник меня за нос водит.

Я в этот момент была дома, и Макаров, кстати, тоже. Единственный его выходной... Я сидела в кресле перед телевизором, смотрела очередной сериал. Вернее, делала вид, что смотрела, а на самом деле думала о своем любовнике — где он сейчас, с кем...

В этот момент чьи-то руки легли мне на плечи. Макаров. Милый и добрый. Наверное, он был бы без ума от счастья, если б я желала его так, как желаю сейчас своего любовника. «Не грусти, детка, — сказал муж, —

все будет хорошо». Он не знал ничего, скорее всего, он сказал эти слова просто так, проходя мимо и заметив мою расстроенную физиономию. «Какое дурацкое кино...» — пробормотала я, оправдываясь. «Так переключи канал!» — «Ладно», — согласилась я и заставила себя улыбнуться. Все-таки он очень хороший человек, мой Макаров.

А на следующий день я решила отправиться к своему любовнику и сказать, что мы расстаемся. Сдался он мне, этот лысый урод. Пусть живет себе, пусть будет счастлив.

А у меня — есть мой Макаров!

Он меня точно любит. Он душу за меня готов отдать. И я его люблю. Вообще я могу опять, как до замужества, устроиться на работу, чтобы не изнывать дома от тоски. Или (еще лучше!) — я рожу ребенка. У нас с Макаровым будет ребенок, который займет все мое время, заполнит всю мою жизнь.

Господи, как все просто! Как легко стало мне на душе, когда я поняла, что не надо мне никого выбирать!

Мы с мужем будем жить долго и счастливо, пока не умрем в один день. И мой Макаров никогда-никогда не узнает, что я изменяла ему, что я целый год бегала на свидания к любовнику.

Кстати, о любовнике. Надо все-таки сходить к нему и поговорить. Вдруг он вздумает искать меня? Лучше уж расставить все точки над «и».

...Телефон не отвечал, и поэтому я стала дожидаться своего любовника возле дома, где он жил. Села во дворе, где была детская площадка, битых два часа прождала, пока не стемнело... И тут увидела его, своего любовника, под руку с какой-то теткой! Ну вот, так я и думала, что у него другая. Они шли и мило беседовали, склонив головы друг к другу. Потом поцеловались и, точно молодожены, вплыли в подъезд, счастливые и довольные. Меня они даже не заметили.

Но, странное дело, я совсем не ревновала, хотя своими глазами только что убедилась в существовании соперницы. А и пусть будут счастливы... У него эта тетка, у меня мой Макаров. Вот оно само все и разрешилось. Собственно, не надо было даже сюда ходить.

«У Ромашовой была?» — спросил меня дома Макаров. «Да», — солгала я ему. Ложь во спасение, милосердная ложь, *последняя* ложь. «Уже темно. Надо было позвонить, я бы встретил тебя».

«Прости, милый, я забыла».

На следующий день я набрала номер своей лучшей подруги и сообщила ей торжественно:

«Ромашова, я приняла окончательное решение. Я бросила своего любовника. Я мужа люблю! Для меня теперь существует только Макаров». Пауза. Потом Ромашова выдохнула: «Ты молодец! Давно следовало это сделать!» — «Давай встретимся, подружка. Посидим где-нибудь в кафе!» — «Отличная мысль! Сегодня вечером поболтаем обо всем! Договорились». — «Ромашова... я все-таки люблю Макарова. Очень люблю, — повторила я. — На меня какое-то наваждение тогда нашло, бес попутал... С жиру я бесилась, вот что. Я решила Макарову ребенку родить!»

«Это чудесно... Вечером договорим!»

Милая Ромашова. Как она обрадовалась, когда узнала, что я рассталась, наконец, со своим любовником. Даже прямо выдохнула с облегчением. Я рожу, а она будет крестной ребенка...

Потом я позвонила мужу на работу: «Макаров, привет! Сегодня я задержусь. Пойдем с Ромашовой в кафе». — «Хорошо. Долго не засиживайся». — «Договорились!» — засмеялась я. Положила трубку и представила, как я вечером буду любить Макарова. Как я буду целовать его, обнимать — своего единственного...

* * *

Ромашова стояла перед телефоном, закрыв глаза, стиснув зубы. Только что звонила Настя, подруга, и торжественно заявила, что решила остаться с мужем. «Ну да, поверила я ей, этой Насте... — устало, с бессильным отчаянием подумала Ромашова. — Сегодня она одно решила, а завтра другое. Семь пятниц на неделе!» И боже мой, какая же эта Настя дура... Нашла, наконец, нормального мужа, встретила хорошего человека, и что? Завела себе любовника. Зачем?! Макаров же — золото, какое еще поискать. До знакомства с ним она, Ромашова, думала, что подобные мужчины только в кино и в любовных романах встречаются. Порядочный, умный, без вредных привычек. Честный.

И вот этому мужчине досталась Настя, легкомысленная дурочка. Ну почему, почему жизнь так несправедлива...

«В сущности, даже если Настя и рассталась со своим любовником, то это еще ничего не значит, — продолжала размышлять Ромашова. — Найдет другого хахаля, продолжит мужу рога наставлять. Какая из нее жена, какая хозяйка, какая мать... Наказание одно. Пусть Настя мне лучшая подруга, но она недостойна Макарова!»

Именно поэтому месяца два назад, когда узнала, что у Насти есть любовник, Ромашова отправилась к Макарову и рассказала ему все. Но тот почему-то медлил, тянул, не хотел бросать Настю... И вот сейчас Настя заявляет, что остается с мужем. Да еще ребенка собралась заводить. Но этого нельзя допустить, нельзя.

Если чуть подтолкнуть Макарова, если солгать ему? Чтобы он, наконец, принял единственно верное решение.

Он расстанется с Настей, а потом... А потом нечего загадывать. Но если она, Ромашова, будет все время с ним рядом, если она поддержит его в трудные минуты — разве он, такой честный и порядочный, сможет оттолкнуть ее? Разве он не оценит ее?..

Ромашова глубоко задышала, затем открыла глаза и сняла телефонную трубку.

«Алло. Майор Макаров слушает». — «Макаров, привет. Это Ромашова. Я только что говорила с Настей. Она позвонила мне и сказала, что хочет бросить тебя. Сказала, что давно тебя не любит уже. Что еще Настя встречается со своим любовником сегодня вечером! Она и вчера с ним встречалась, я тебе говорила, и сегодня пойдет». — «Настя сказала, что идет сегодня с тобой в кафе». — «Не будь наивным. Она все время прикрывается моим именем! Она влюблена в этого негодяя, как кошка. Со всем этим надо кончать. Нельзя больше миндальничать. Брось ее первым, Макаров, ты же мужчина, а не тряпка... У тебя профессия такая серьезная, мужская... Ты же следователь! Ты такие дела распутываешь сложные, а с собственной женой не можешь разобраться! Ну сколько можно терпеть! Ведь вокруг столько достойных женщин, способных оценить тебя...» — «Ты говоришь — Настя сказала, что собирается бросить меня?» — перебил Макаров. «Да, — твердо произнесла Ромашова. — И сегодня вечером у нее с любовником опять свидание».

* * *

Макаров отложил телефон, открыл папку с делом. «Обвиняемый Тарасенков, будучи в состоянии алкогольного опьянения...» Нет, не идет ничего в голову. Макаров закрыл папку, отодвинул ее в сторону. В висках стучали молоточки — вечером, вечером, вечером... Вечером жена опять убежит к своему любовнику. «Да, обвиняемый Тарасенков, мне бы твои проблемы!»

...Пару лет назад он познакомился с Настей. Какой-то воришка на улице выхватил у нее из рук сумочку, а Макаров догнал его, схватил, нацепил наручники, потом сдал в руки патрулю, вернул сумочку хозяйке. И — влюбился в потерпевшую.

Потому что никогда еще не встречал таких женщин. Каких? Ну, словно не от мира сего. Нежная, веселая, наивная и ласковая. Красивая... Настя напоминала ангела. И этого ангела надо было хранить и оберегать.

Детство у нее было не из легких — старшая в многодетной семье. Родители пили, поколачивали дочь, заставляли смотреть за младшими. В восемнадцать лет Настя сбежала из дома. Работала на трех работах, чтобы снимать квартиру, чуть не надорвалась. Поэтому, женившись, Макаров разрешил Насте сидеть дома, не гонял ее по хозяйству, ничего не требовал.

Она, конечно, отчаянно скучала в браке, все просила его оставить опасную службу, побольше времени проводить с ней. Наверное, был бы ребенок, она не скучала бы... Но как от нее ребенка требовать — она сама дитя еще по характеру, да и все детство свое возилась с младшими. Конечно, теперь не стремится стать матерью.

Примерно год назад началось. Он, Макаров, не хотел верить, все глаза закрывал, потом пришла та вобла в очках, Ромашова — подружка Насти, и вывалила на него всю правду. У жены — любовник.

Сначала Макаров хотел поймать этого любовника и поговорить с ним по-мужски, потом понял — нельзя, ведь если Настя счастлива с тем человеком... Ведь он, Макаров, — сухарь, зануда. С ним, с мужем, и поговорить не о чем!

Тянул все, делал вид, что ничего не замечает. Думал, может, само рассосется и Настя бросит любовника.

Выходит, нет. Выходит, наоборот, Настя его, Макарова, решила бросить...

А как без Насти? Мир такой грязный, жестокий, серый, тусклый... И только одно утешает, дает силы — рядом есть Настя, солнышко.

Макаров достал из сейфа табельный ПМ, взглядом раздраженно скользнул по вороненой стали. «Дурной каламбур получается, а, Макаров? Макаров с пистолетом Макарова. Но что ж поделать, если он, муж, Насте больше не нужен...»

Следователь приставил пистолет к виску. Надавил пальцем на спусковой крючок.

* * *

Проходящий по коридору молодой сержантик дернулся, а потом замер, услышав за дверью одного из кабинетов выстрел. Очнулся и стремглав затопал прочь, за начальством...

УПАЛА ШЛЯПА

Людочка, вспыльчивая и капризная особа девятнадцати лет, сидела на балконе, любовалась панорамой открывающегося перед ней города с высоты последнего, пятнадцатого этажа.

Вдали — другие дома, пониже (район был центральный, старинный) дворы, деревья... Красивые места, еще не испорченные городскими властями.

С балкона видно все как на ладони, далеко — зелень, зелень, да и вон маковки церквушек романтично возвышаются... Релакс.

Страстно светило солнце. Наконец-то настоящее солнце после долгой зимы! Людочка вздыхала, щурилась, томилась в его лучах.

Потом не выдержала и полезла в шкафчик рядом — там Людочкина мама хранила всякое ненужное барахло.

В глубинах шкафа пряталась широкополая соломенная шляпа — ее бог знает в каком году привезла из Сочи покойная Людочкина бабушка.

«А хорошо, наверное, сейчас в Сочи, — подумала девушка. — Хорошо сидеть в шезлонге, на пляже. Под ногами — раскаленная галька, над головой гудит самолет, только что взлетевший с сочинского аэродрома. Плеск волн еще...»

107

Людочка придирчиво себя оглядела — помимо шляпы, соответствует ли ее наряд пляжному дресс-коду?

И сделала вывод — вполне. На девушке в данный момент красовалось малиново-золотое кимоно (поскольку даже дома кокетка Людочка абы в чем не ходила), на ногах — пробковые легкие туфельки с золотой перепонкой. Да, хоть сейчас на пляж. В этом кимоно, в этих туфельках, в шляпе — вполне можно гулять по какой-нибудь эспланаде, вдоль моря, вечером, в лучах оранжевого солнца.

Кстати, у Людочки еще золотой лак на ноготках, золотые кудри от французского производителя красок для волос... Золотой — любимый цвет. «Гм. А что такое эспланада?» — неожиданно задумалась девушка. Слово было знакомым, но его точного значения она не знала. А идти в комнату, спрашивать маму — лень.

Девушка закрыла глаза и мысленно перенеслась в Сочи. Ветер. Солнце греет кожу. Плеск воды. Ну да, шум автомобилей внизу вполне можно принять за звуки набегающих друг на друга волн...

Внезапно рядом раздался грохот, пыхтение, шуршание...

Девушка открыла глаза и с досадой обнаружила, что на соседнюю, смежную половинку балкона вышел Коля Потапов. Это он испортил Людочке весь релакс.

Коле было лет тридцать. Небритый, в тренировочном костюме. Страшный.

А все потому, что Коля — не в себе с рождения. Диагноз — то ли олигофрен, то ли дебил. Бр-р, смотреть противно — поморщилась девушка.

Коля заметил за железной сеткой, разделяющей балкон, Людочку и просиял. Принялся мычать, махать ей рукой.

Коля Потапов никогда не гулял по улицам. Он гулял на балконе. Все тридцать лет своей жизни. Выходить на улицу он панически боялся, у него там случались припадки.

Из комнаты вышла и его мать — копия Маргариты Павловны из «Покровских ворот», шумная и любезная дама, поздоровалась с Людой. Девушка с неохотой ответила.

— Какая вы сегодня яркая, Людочка. А шляпа — ну просто чудо! Правда, Коля?

Коля восторженно замычал.

«Неприятная тетка. Ведь это в ней какой-то изъян... Потому и сына такого родила. Как же противно жить бок о бок с подобными соседями! Надо балкон застеклить, установить настоящую, непроницаемую перегородку, чтобы не видеть их, не слышать. А то знакомые дразнят — ой, Людочка, опять твой жених на балкон вышел!»

Все родные и друзья Людочки, кто у нее дома бывал и выходил на балкон, знали, что полоумный сосед Коля влюблен в Людочку.

«И Колина мать это знает. Вон с каким умилением она косится на меня... Фу-у».

Наконец Колина мать ушла обратно в комнату, на балконе остался только ее сын.

«Конечно, он ни в чем не виноват. Дурачок. Дитя тридцати лет от роду. И мать его только пожалеть можно... Но все равно противно!» — подумала Людочка, отворачиваясь.

Она попыталась представить, что Коли нет тут. Людочка поднялась со стула, приблизилась к перилам. Наклонилась, рассматривая то, что творилось внизу. А там — дорога, по которой ползет нескончаемый поток автомобилей, и блестят под солнцем их крыши. «Вот если бы у меня была своя машина...» — Но Людочка не успела додумать эту мысль, потому что внезапный и сильный порыв ветра сорвал у нее с головы шляпу...

Шляпа сначала зависла в воздушном потоке.

Она парила прямо у балкона, напротив перил! Людочка, глядя на шляпу, испытала странное чувство — как будто это часть ее висит над бездной. Не сдержавшись, впечатлительная девушка с ужасом ахнула.

Коля взволнованно, тревожно замычал, замахал руками — шляпа висела буквально в метре от него. Дурачок всерьез надеялся поймать ее! Он потянулся, слишком сильно перегнулся над перилами и — полетел вниз.

...На похоронах потом шептались — отмучилась, наконец-то, Колина мать, теперь сможет и для себя пожить на старости лет. И Людочка вздохнула с облегчением — теперь никто не мешал ей сидеть на балконе.

Она была молодой, красивой, очень самоуверенной девушкой. И вокруг себя она тоже хотела видеть только красивых, нормальных, полноценных людей. И они были.

Три раза Людочка выходила замуж. Один раз в любовницах ходила. А счастья все не было почему-то. Пусть полноценные, но корыстные вокруг Людочки кавалеры вились. Когда имущество супругам приходилось делить, то чуть не до смертоубийства иной раз доходило. Вроде клялись в любви Людочке, а сами, все трое ее мужей, — изменяли... И она вроде симпатизировала каждому, а сердце покоя не находило в новых отношениях.

Все не то, не так. Пустая жизнь, пустые отношения. Без любви потому что... Выходит, зря большая, самая лучшая часть жизни прошла.

И все чаще Людочка вспоминала Колю. Нет, упаси бог, не в каком-то неприличном смысле... Она просто вспоминала, с каким обожанием и восхищением смотрел когда-то на нее бедный сосед-дурачок.

Ведь Коля Потапов, если подумать, — единственный человек, который любил Людочку бескорыстно и беззаветно. Безумно. Который и умереть ради нее не побоялся.

Много ли женщин могут похвастаться такой любовью?

Значит, поняла Людочка, все-таки была, была в ее жизни необыкновенная любовь. Та, что сильнее смерти.

«И вообще... Что есть счастье? Это когда тебя окружающие не раздражают, когда во всем хорошее видишь, даже в том, что поперво началу уродством кажется, — размышляла Людочка. — А ведь кто мне был этот Коля? Никто. Сосед. Мы с ним — чужие. И вообще он умер давно... А кажется, что как будто до сих пор он где-то рядом, смотрит влюбленно!»

Оставшись у разбитого корыта после трех неудачных браков, с печальной, теплой улыбкой Людочка теперь все чаще вспоминала Колю. Ухаживала за престарелой соседкой, его матерью. Пожилая, одинокая женщина плакала, целовала ей руки и признавалась, что есть у нее теперь доченька, родная и любимая.

Хотела Людочке квартиру завещать.

А Людочка отказалась. Из принципа. Она теперь другим человеком стала, прежние капризы и нетерпимость к людям исчезли, растаяли со временем. А уж корысти в ней и не было никогда. Кроме того, Людочка слышала, что у Колиной матери есть двоюродный племянник, моряк, во Владивостоке живет. Инвалид. Травма у него случилась, когда на корабле плавал. Племяннику тому инвалидность дали, он мечтал в Москву перебраться. Вот ему пусть все и достанется.

После смерти Колиной матери, которая умерла на Людочкиных руках, совершенно счастливая — с улыбкой на губах! — в соседнюю квартиру переселился из далекого города Вадим Викторович. У него, как выяснилось, совсем грустная история была — жена после травмы выгнала его. Жил он во Владивостоке в каком-то общежитии, пока вот наследство не обломилось.

А тут квартира в Москве и возможность лечиться в хорошей московской клинике... Сам-то — инвалид на костылях. Хотя не старый еще — сорок лет. Как Людочке. Она ему помогла устроиться на новом месте, в клинику возила на своей машине. А чего, не жалко! Она теперь всем помогала, кому могла, просто за «спасибо», не ожидая никакой благодарности.

Иногда она сидела по вечерам на балконе, а рядом, на соседней половинке — Вадим Викторович. И он смотрел на Людочку с такой любовью, с таким удивлением, радостью... Сказала бы она ему — прыгни, — он бы и сиганул с пятнадцатого этажа, не раздумывая.

«Добрее вас и светлее вас, Люда, я человека не видал. Вы — святая!»

«Да чем же я святая, Вадим Викторович?» — смеялась Людочка.

«А тем, что нет в вас злобы, нет раздражения. Вы всех любите, вы всех понимаете. И вам совсем не жалко себя отдавать...»

Через год после переезда Вадима Викторовича в Москву они с Людочкой поженились. А стену между квартирами прорубили, дверь сделали. Вот так. И сын у них родился, хотя Людочка была уверена, что счастье материнства ей недоступно. Кстати, здоровье Вадима Викторовича значительно поправилось. Он теперь не на костылях передвигался, а спокойно ходил себе с палочкой.

Жили они втроем все в такой любви, что другие люди удивлялись.

Иногда даже Людочка задумывалась — а чем же она заслужила это счастье?.. Ведь не только же тем, что перестала делить людей на полноценных и неполноценных?..

ПЯТОЕ ЧУВСТВО

Конечно, все знают, что не насытится око зрением и не наполнится ухо слушанием, но не особо верят древним мудростям, ибо знают: многие, даже самые прекрасные вещи — очень быстро надоедают. Тогда и глаза сами собой начинают смотреть в сторону, и уши хочется закрыть ладонями.

Нет, хорошего должно быть понемногу. Лучше по чуть-чуть и изредка, а не то захлебнуться можно. Но не все могут следовать этому правилу.

Вот взять, например, Григория Петровича. Он до безумия любил свою жену.

Сам Григорий Петрович — человек простой, изощренным интеллектом не обремененный — в отличие от своей супруги, историка и страстной книгоманки. Кандидата наук, между прочим!

А он — сантехник в ЖЭКе. Афоня! Как же они сошлись? Лед и пламень, волна и камень...

Тем не менее сошлись и прожили вместе много лет, и у них был взрослый сын, который жил уже самостоятельно, отдельно.

Григорий Петрович до безумия обожал свою жену. Он почти каждый день выполнял супружеский долг.

Вы скажете — неправда, не бывает таких сильных чувств после стольких-то лет супружества, они возможны только в юности. Все эти страсти, постельные подвиги... Ибо редко кто способен долго держать одну высокую ноту. Заканчиваются цветы и поцелуи, нежные слова и объятия, и начинаются шлепанцы, бигуди, халаты и тренировочные, зевание друг другу в лицо, шкворчание трески на раскаленной сковородке, сдержанное раздражение...

Но к Григорию Петровичу зевки и шкворчание не имели никакого отношения. Афоня Афоней, а любить он умел.

Хотя, в сущности, жена Григория Петровича внешне выглядела обыкновенно. У нее было бледное, невыразительное, но не лишенное приятности личико — как на блеклых картинах Борисова-Мусатова, стандартная, чуть припухлая фигурка, негустые русые волосы... Пожалуй, самым большим достоинством супруги являлась ее невероятная чистоплотность. А еще женщина уважала парфюмерию.

Во времена бедной юности от молодой супруги нежно и ненавязчиво пахло лишь югославским шампунем да отечественным ромашковым кремом. Но после того как наступило товарное изобилие, жена Григория Петровича позволила себе развернуться.

Шампуни, бальзамы, кондиционеры, гели, кремы, маски, примочки, присыпки... весь дом был забит этой ерундой, которую столь усердно рекламируют средства массовой информации. Григорий Петрович то и дело натыкался на эти плоды цивилизации в своем доме, иногда даже в самых неожиданных местах. Однажды, торопясь на работу, он искал носки. В стопке белья он нашел коробочку с загадочной надписью и очень затейливой крышкой. Любопытно стало — что сие такое? Мужчина вертел ее и так и сяк, пока коробочка вдруг не взорвалась в руках и не осыпала его с ног до головы розовой пудрой, которая пахла нежно, печально, по-восточному томно... Григорий Петрович чистил свою униформу и ругал себя за любопытство. А потом начальство в ЖЭКе сделало ему нагоняй за опоздание. В другой раз супруг перепутал оливковое масло с шампунем, плеснул его в салат и, принюхавшись, схватился за голову... А случаев, когда он путал гель для душа с пеной для ванны или мыло для рук со специальным мылом для похудания — и вовсе несть числа.

В этой вечной борьбе со средствами гигиены Григория Петровича утешало только одно — что его жена всегда была нежна, ароматна и бархатиста на ощупь, что не существовало на ее теле уголка, который не был бы тщательно промыт, намазан специальным, только для этого уголка придуманным кремом, припудрен и сбрызнут дезодорантом. Она не любила резких запахов, да и не было их у хорошей косметики — только поэтому от жены Григория Петровича никто не шарахался. Лишь легкое облачко цветочного, медового аромата всегда следовало за ней, вызывая у окружающих удивленную, бессознательную улыбку.

Может быть, именно поэтому Григорий Петрович столь сильно любил свою жену? Как садовник — розы в своем саду? Он все время думал о жене и, когда ее не было рядом, он нетерпеливо ждал ее, и крылья его носа непроизвольно подрагивали. Не было большего наслаждения, чем раздевать ее, приблизившись щекой к ее телу, и вдыхать его запах. Шея ее пахла медом, грудь — розовыми лепестками, живот — клубникой, руки — луговыми цветами, колени — ванилью, ступни — шалфеем... О, никакой Давид с его псалмами не могли сравниться с этой поэмой, какой было тело жены Григория Петровича, скромные библейские радости затмевались достижениями современной парфюмерии. А самый укромный уголок ее тела пах чайным деревом на основе эфирного масла. Это чайное дерево разводилось в воде перед употреблением, но даже в самых ничтожных пропорциях оно будоражило обоняние — запах дыма и бальзама, запах колдовства и тайн... Добравшись до этого местечка, Григорий Петрович замирал, и невольные слезы восторга начинали литься из его глаз. Свои обонятельные экспедиции Григорий Петрович совершал очень часто. Как уже упоминалось — почти каждый день.

— Ты, Гриша, словно мальчик, — недовольно стала говорить его жена-интеллектуалка, — я очень за тебя рада, мало кто из мужчин может похвастаться такими достижениями в твоем возрасте, но... Я-то уже тоже не девочка давно. Мне уже скучновато заниматься одной только любовью. Поговори со мной. Расскажи мне что-нибудь...

Григорий Петрович немедленно приободрялся и рассказывал какую-нибудь байку на профессиональную тему. Он был кладезем информации на жилищнокоммунальные темы. Рассказав, он вновь клонился к телу своей жены и подрагивал ноздрями...

— Почему ты не читаешь книг? — как-то раз спросила его жена. — Надо жить духовной жизнью. Мне скучно с тобой...

Это слово — «скучно» — стало все чаще и чаще преследовать Григория Петровича. Он ничего не понимал. Он считал себя прекрасным мужем. Ну и что, что не кандидат наук, зато верный и непьющий. Чего еще женщинам нужно?

Но однажды, придя домой, он обнаружил, что жена его ушла. Она оставила записку, где объяснила, что нашла человека, с которым ей интересно и который видит в ней не только женщину, но и человека тоже. Профессор Дальский с кафедры Средневековья.

...Долго Григорий Петрович не мог прийти в себя. Все ходил вечерами по опустевшей квартире, прижимал к груди забытые женой вещи... Запахи и ароматы таяли постепенно. Только из шкафчика с постельным бельем неизменно пахло розой — нежно, печально, томно, — и запах этот бередил душу.

И вот однажды случилось неожиданное. Жена позвонила ему! Она говорила долго и непонятно, но смысл ее речи сводился к тому, что она жалеет о своем поступке. В ее новой жизни все было хорошо, и профессор Дальский любил ее.

Но что же тогда произошло? Бывшая жена и сама не могла понять. Просто стала она вдруг томиться по молчаливым и неиссякаемым ласкам Григория Петровича, захотела вновь стать растением, цветком, к чьим бутонам склоняется верный садовник. Да, ее новый муж говорил с ней, и все на темы интересные, острые, интеллектуальные, но слова неожиданно стали не нужны ей. Слова пусты. Слова скучны.

Слушая это путаное, изящное лепетание, Григорий Петрович обливался слезами и молчал. Он вспомнил, как по утрам будил свою неверную супругу — и она вся мягкая, бархатистая, неяркая, лоснящаяся — ничем не пахла, вернее, *почти* не пахла, отдав долгой ночи свои ароматы. Но потом, после ласк, покрывшись легкой испариной, она дивно будоражила обоняние, словно в жилах у нее текла не кровь, а парфюмерный раствор. Григорий Петрович шутил тогда, что, наверное, может не тратиться на одеколон, а брызгаться ее мочой. И слышал в ответ негодующий вопль: «Фи, Гриша, какая гадость!» Хотя почему гадость, если он любил в жене ВСЕ. Любил раньше. Но не сейчас! Теперь-то от нее будет нести профессором Дальским и грязным Средневековьем.

— Нет, — сказал Григорий Петрович, когда неверная жена закончила свой покаянный монолог и намекнула, что могла бы вернуться к нему прямо сегодня. — Нет. Ничего не получится. Тебя осквернили. Я к тебе не смогу больше прикоснуться...

ТЕРЯЯ СОН

Самый главный праздник (у нас, в России) — это все-таки Новый год, а не день рождения или прочие юбилеи. Новогоднюю ночь ждут практически все. Ждут чуда. Сказки. Возвращения в детство.

Елки, игрушки, подарки... В отделы красочной упаковки выстраиваются длинные очереди — и там разлетается пестрая фольга, шуршит золотая тесьма, поскрипывают липучки на бумажных цветах. Все хотят красоты. Самую простенькую безделушку там завернут как конфетку. Разноцветным дождем сыпется конфетти, и вместе с ним витает в воздухе предчувствие счастья.

А вечером 31 декабря наступает пик предновогодней эйфории.

...Катерина Сергеевна, интересная дама тридцати двух лет, для родителей — Катенька, для друзей Катюша, а для мужа просто радистка Кэт, под этот Новый год была тоже полна приятных предчувствий. Хотя куда больше? Практически все, чем должна обладать счастливая женщина, у нее уже имелось. Но хотелось большего, а чего именно — пока непонятно...

Часу в шестом вечера ее муж, молодой и уже очень известный художник Протасов, вздумал стряпать свой знаменитый плов по рецепту бабушки, артистки, эвакуированной во время войны в Самарканд. Гостей ждали к двенадцати, телевизор смотреть было скучно, елку уже нарядили, и Катерина Сергеевна вышла во двор, прогуляться.

Падал снег.

Катерина Сергеевна ходила по квадратикам света, льющегося из окон, и невнятно мурлыкала какую-то мелодию. Она дошла до конца дома, а потом повернула обратно.

На припорошенном асфальте были четко отпечатаны следы ее сапожек. Молодой женщине вдруг взбрело в голову, будто это не ее следы, а кто-то невидимый преследовал ее. Так она и ходила вдоль дома, то и дело зачем-то оборачиваясь назад, на свои следы.

Двор был тупиковым, с автоматическими воротами — лишь припоздавшие жильцы да гости пробегали иногда мимо Катерины Сергеевны к двум темным подъездам, и все — с пакетами, с туго набитыми сумками.

Заехал на служебном рафике во двор сосед с нижнего этажа, крикнул вслед Катерине Сергеевне что-то веселое, она обернулась, машинально махнула рукой. Потом, подминая сыпучую порошу, вырулил из ворот Аркашка Веселаго на своей вишневой «реношке».

— С наступающим! — тоже крикнул он, выскакивая из машины.

Катерина Сергеевна ответила. Они с Аркашкой были когда-то одноклассниками. Обычная школьная, дворовая дружба.

— Чего не дома?

— Так... свободная минутка. Протасов плов готовит, — ответила она, подходя ближе. Аркашка энергично счищал с машины снег широкой щеткой.

— Закуривай, — предложил он.

— Забыл, я не курю.

— Тогда вот что... — Аркашка запыхтел, полез куда-то под сиденье, достал плоскую армейскую фляжку. — Друг привез прямо из Агдама. Стаканчик... Нюхай! Каково, а?

Катерина Сергеевна задумалась, сунув нос в пластиковый стакан. Аркашка смачно отхлебнул прямо из горлышка.

— Мамаша ждет... ну да ладно, — мужчина опять полез куда-то в глубины своей машины, достал лимон, перочинным ножичком отмахнул ломтик, обмакнул его в открытую банку растворимого кофе, кинул в рот. — Чего смотришь, учись!

Катерина Сергеевна, наконец, решилась:

— И мне лимончика...

После, отхлебнув коньяка и закусив, спросила, не чувствуя языка:

— А что же, сладкого у тебя нет?

Аркашка сделал успокаивающий жест и приложился к фляжке второй раз.

— Садись в машину, а то холодно чего-то, — он плюхнулся на переднее сиденье. Катерина Сергеевна села за руль, но дверь до конца захлопывать не стала:

— Я на одну минутку.

Аркашка достал с заднего сиденья коробку конфет, стал сдирать целлофан.

— А маме? — с ужасом вскричала Катерина Сергеевна, хватая за руки бывшего однокашника.

— Мамаше еще коробка, — кивнул он назад.

Они выпили еще по полстаканчика, закусили кон-
фетами. Катерина Сергеевна почувствовала, как от
желудка по всему ее телу разливается тепло, а мысли
становятся четкими.

— Аркаша, за рулем пить нельзя, хоть мы и не едем
никуда, — сказала она.

— Ерунда. Какие в этот час проверки... Да и двор
у нас закрытый. Враги не прорвутся...

— Как Петечка поживает? — подумав, вновь спросила Катерина Сергеевна.

— Ничего, — равнодушно ответил Аркашка, раз-
ливая по стаканчикам в третий раз. Видно, мысли его
бродили где-то далеко. Петечка был его сыном, чрезвычайно смышленым мальчиком шести лет, который
жил отдельно со своей матерью, первой женой Аркашки. Со второй он развелся этим летом. — Ты брось. Ни
к чему все эти любезности.

— Это не любезности, — усмехнулась она. — Мне
правда интересно. А ты, Веселаго, скучный. Как был в
детстве занудой...

Аркашка пожал плечами и стал давить кнопки на
магнитоле.

— Одна реклама да шансон, — Катерина Сергеевна
нахально полезла в бардачок, откуда вместе с бумага-
ми, сигаретами и прочим барахлом посыпались диски.
Она быстро перебрала их: — Что ты слушаешь, Веселаго, что ты слушаешь! Это музыка для чебуречной...

Аркашка вырвал у нее из рук диски, молча засунул их обратно.

— Кажется, ты позволяешь себе лишнего, мадам Протасова, — мрачно сказал он.

— Я знаю, с кем можно, а с кем нельзя. — Катерина Сергеевна легонько щелкнула его по носу.

— А ты знаешь, Протасова, что я всю жизнь мечтаю тебя убить?

— Убей, кто ж тебе не дает?

— ...что более злокозненного существа я еще не встречал в своей жизни?

— А вторая жена Аллочка? — скромно напомнила Катерина Сергеевна.

— О, ей до тебя плыть и плыть. Помнишь, как в первом классе ты подложила мне на стул жвачку? А в третьем, помнишь...

— Брось! — перебила его Катерина Сергеевна. — Забыть пора о прошлом. Еще по глоточку, и я ухожу.

— Вот ты опять, ты опять! Разве так плохо вспомнить школьные годы, дурачества эти детские... Знаешь, ведь пятнадцать лет прошло.

— Неужели пятнадцать? — удивилась Катерина Сергеевна, пристально разглядывая содержимое своего стаканчика.

...Вместе с порывом снега из ворот выплыла чья-то высокая, худая, чуть сутуловатая фигура. Фигура держала перед собой коробку с тортом, лицо ее пряталось под капюшоном.

— А вот и Бутюкова собственной персоной, — сказал Аркашка, наклонившись к лобовому стеклу.

— Нелли? Утюгова! — крикнула Катерина Сергеевна, пытаясь отстегнуть ремень безопасности, которым она оказалась почему-то пристегнута.

— Тише. Тоже мне, школьные шуточки. У нее мать осенью умерла.

— Пардон...

Тем не менее фигура под мрачным капюшоном заметила возню в вишневой «реношке» и робким, семенящим, странным для высокого роста шагом подошла.

Аркашка открыл заднюю дверь.

— С наступающим, — церемонно пискнула Нелли, залезая в машину. — А, и ты тут, Катюшка...

Несмотря на ласковое обращение, голос у вновь пришедшей звучал как-то кисло.

— Коньячка? — спохватился Аркашка.

Пока Нелли отхлебывала из стаканчика, Катерина Сергеевна, полуобернувшись, рассматривала ее.

— Я сто лет не видела тебя. Как ты?

— Квартиру в Бибирево снимаю. Сегодня отца с бабушкой приехала навестить. В общем, неплохо.

Когда-то давно, в детстве, Нелли Бутюкова была прелестным ребенком. Ее даже снимали в кино, где она играла принцесс, эльфов и примерных девочек. Она почти не изменилась с тех пор, но что-то неуловимое мешало ей стать настоящей красавицей, мешало сдержать детские обещания. Вроде вылезла бабочка из кокона, а крылья так и не смогла расправить...

— Я видела твоего мужа по телевизору, — сказала Нелли своим чуть дребезжащим, кукольным голоском.

— Да, в Доме художников была выставка.

Аркашка хохотнул:

— Хорошо устроилась, Катерина! Небось, весь дом твоими портретами увешан?

— Ни одного. Ни одного, — Катерине Сергеевне этот разговор не нравился. — Я не люблю. Ну что за глупости, что за банальность — портрет жены художника... Налей мне еще, Веселаго.

— Ты счастлива? — спросила Нелли Катерину Сергеевну.

— А ты? — пожала та плечами.

Аркашка покрутил ручку у магнитолы:

— Как тебе такая музыка, Катюха?

— Ничего, сойдет... балерины из меня не вышло, но танцевать я все равно люблю.

— Станцуй нам, Катенька, разве не праздник сегодня...

— Еще коньяка, — сухо потребовала Нелли. — Отличная вещь, оказывается.

Катерина Сергеевна вдруг вспомнила, что когда-то давно, еще в школе, Нелли была влюблена в Веселаго, и над ней смеялись — Аркашка едва доставал ей до плеча. Она была бесплотной и эфемерной девочкой, он — уже тогда пузат и энергичен, с крепким румянцем, этакий купчик с Замоскворечья. Да, в школе ставили пьесы по Островскому...

— Станцуем вместе, — сказала Катерина Сергеевна, вылезая из машины.

Снег уже прекратился, вечер был теплым и темным. Где-то за соседними домами стреляли петарды. Свежие сугробы сверкали голубыми искрами. Нелли поставила свой торт на капот и пристально посмотрела на бывшую одноклассницу.

Аркашка усилил громкость.

— Это дурацкая музыка, — пробормотала Нелли.

— Нет-нет. Это сиртаки, греческий танец, — возразила Катерина Сергеевна.

— Сиртаки? — Аркашка опять захохотал.

Катерина Сергеевна схватила его за локоть, другой рукой притянула к себе Бутюкову.

— Руки кладем друг другу на плечи, а ногами делаем вот так. Глупые люди, этот танец можно танцевать всем вместе!

Родители Катерины Сергеевны действительно мечтали сделать ее настоящей танцовщицей, но она оказалась девочкой без честолюбия. Лет пять она стояла у станка, махала тонкой крепкой ножкой, разучивала фуэте и батманы, а потом в один прекрасный день без всякого сожаления и без всякой причины бросила.

Нелли смешно семенила, Аркашка неуклюже топтал снег, а Катерина Сергеевна толкала друзей, заставляя их приседать и двигаться под музыку. У Аркашки были лакированные пижонские ботинки темно-вишневого цвета — под машину, у Нелли — модный вариант унт. Угги. Нелли всегда была мерзлячкой.

Катерине Сергеевне, глядя на ноги своих друзей, становилось все смешнее и смешнее, она тоже стала выкидывать какие-то невероятные коленца, запнулась и повалилась спиной в сугроб, увлекая за собой остальных танцоров.

— Закопаем Аркашку в снег!

Тихонько повизгивая, Нелли вместе с Катериной Сергеевной принялись забрасывать его рассыпчатым нежным снегом, а он, едва шевеля руками, продолжал хохотать — до изнеможения, до икоты...

В это время хлопнула дверь, и из подъезда вышел Протасов.

— Стойте, стойте! — крикнула Катерина Сергеевна, бросая последнюю пригоршню Аркашке на лицо. — За мной муж пришел!

Нелли мигом остановилась и с немым изумлением уставилась на Протасова. Кажется, она видела его в первый раз.

— Красавец, да? — хвастливо сказала Катерина Сергеевна. — Не всем такой красавец может достаться. Он необыкновенный. Он похож на врубелевского Демона. Ну на того, на задумчивого, с вывернутыми руками... на фоне гор, что ли. Э, да вы совсем историю живописи не знаете!

Аркашка сел, вытирая кашне мокрое лицо.

— Красавец, — повторил он тоже с изумлением, глядя на Катерину Сергеевну. Хотя с Протасовым здоровался чуть ли не каждый день, во дворе.

В лифте Катерина Сергеевна чуть не заснула, положив голову на плечо своего мужа. Но потом пришли гости. Шампанское, салат оливье, торжественный вынос плова в настоящем восточном казане, поздравления Президента... Часу в четвертом в дверь кто-то позвонил, но Катерина Сергеевна проигнорировала. Она плясала для гостей фламенко, повязавшись бахромчатой шелковой скатертью и воткнув в прическу гвоздику. Маринист Полетов, лысый пятидесятилетний мужчина, ползал перед ней на коленях и пытался по-цыгански трясти грудью.

— Кто приходил? — спросила она потом у Протасова, задыхающаяся, румяная и совершенно ошалевшая от танцев и шампанского.

— Да этот твой, из соседнего подъезда. Хотел плов попробовать.

— Ну и?

— Да он лыка не вязал. За ним его мамаша тут же прискакала, забрала обратно.

— Какой пассаж...

Под утро вся компания высыпала на улицу. Запускали фейерверки, стреляли петардами. Катерина Сергеевна кидала в Протасова снежки и опять хохотала, хохотала во все горло. Один из снежков попал почему-то не в Протасова, а в чью-то высокую, худую фигуру.

— Утюгова, душенька, с наступившим уже!

Нелли выглядела мрачно и загадочно. В руках она держала бутылку шампанского, к которой время от времени прикладывалась. В лунном ярком свете она вдруг показалась Катерине Сергеевне невероятно красивой, какой и должна была стать уже давно. По подбородку Нелли, прямо на пальто, стекали ручейки шампанского. Катерина Сергеевна затормошила подругу, закружила — Нелли не отозвалась. Она была мертвецки пьяна.

— Я загадала одно желание, — наконец произнесла Нелли своим дребезжащим, кукольным голоском. — Но оно опять не сбудется, я знаю.

ИНДЕЙСКОЕ ЛЕТО

В первых числах сентября Илья Антонович был вынужден встретиться с сестрой своей покойной жены. Бывшей первой жены.

Илья Антонович являл собой редкий в нынешнее время тип мужчины — его честность и щепетильность доходили до фанатизма — недаром его новая половинка, блондинка Анжела, частенько, с придыханием и полуприкрыв глаза, называла свежеиспеченного супруга — «мой рыцарь».

Илья Антонович не лгал, не лжесвидетельствовал, не давал пустых обещаний и, прежде чем начать новые отношения, обязательно заканчивал со старыми. Так было и в случае с первой женой, Катей.

Илья Антонович прожил с ней двадцать счастливых лет. Жили спокойно, без ссор и скандалов, Катя всегда слушалась мужа и без его одобрения никогда и ничего не предпринимала.

Детей они так и не завели — сначала слишком молодыми были, потом кризис в стране случился (до детей ли, самим бы выжить!), потом уже и лень — вроде привыкли к своему свободному существованию.

А потом Илья Антонович встретил Анжелу. И, как честный человек, с женой развелся, справедливо поделил имущество с бывшей супругой, ну а с Анжелой благородно оформил отношения в ЗАГСе.

Словом, никого мужчина не обманывал, все чин-чином, по-людски. И кто виноват, что Катя после их развода заболела и сгорела за каких-то пару месяцев? Никто. Просто судьба. Да это с любой сорокалетней женщиной может случиться!

...Ранний вечер дарил тепло, почти летнее. Солнце, небо, щебетание птиц. Легкий ветер гулял в золотых, еще густых кронах и бездумно бросал листья на светлый асфальт. Илья Антонович припарковал свое авто в переулочке, вышел. И вдохнул глубоко, с наслаждением. Благодать.

Несмотря на скорбную миссию и все события прошедших месяцев (когда Катя умирала), Илья Антонович ощущал сейчас небывалый подъем и счастье, ведь дома его ожидала молодая жена...

В одном из тихих двориков за Бульварным кольцом его встретила Нина Петровна. Илья Антонович дружелюбно улыбнулся бывшей родственнице и осторожно передал ей коробку из картона. В коробке хранился кузнецовский кофейный сервиз, после раздела имущества случайно попавший к нему. Сервиз принадлежал семейству покойной жены, а значит, прав на него Илья Антонович не имел. И он честно решил его передать настоящей наследнице.

— Спасибо, — церемонно поблагодарила Нина Петровна, явно стараясь скрыть свое удовольствие. — Я даже не надеялась... У меня для тебя тоже кое-что есть.

Она была всего на десять лет старше покойной Кати и очень похожа на нее, но седых волос было уже больше, чем своих собственных, черно-смоляных, и морщин очень много, и тусклый взгляд. Илье Антоновичу она показалась совсем старушкой.

Подул ветер, бросил в лицо желтые листья. Нина Петровна поморщилась, отряхнула волосы и вытащила из кармана свободной рукой конверт.

— Это от Кати, — сказала она. И помолчав, добавила: — Я забыла передать... тогда.

— Ого! — удивился Илья Антонович. Конверт показался ему очень толстым.

— Катя писала в последний месяц. Все сомневалась, отдавать тебе или нет. И я сомневалась. Но после того... — Нина Петровна бросила взгляд на коробку, — ...решилась-таки.

Катя умирала без мужа, Илья Антонович присутствовал только на похоронах — и каким-то скомканным, неприятным было то последнее прощание. Вроде и не виноват, а сердце сжимается. И Нина смотрела тогда косо, словно хотела обвинить бывшего зятя — ты, дескать, Катю уморил своим уходом...

Но сейчас, верно, Нина смирилась, успокоилась. Попрощались они почти дружески.

...На бульваре он нашел свободную скамейку, распечатал письмо. Руки у Ильи Антоновича немного дрожали. Катя никогда не писала писем, зачем вдруг ей понадобилось сочинять это обширное послание? Может, она скрывала какую-то тайну всю жизнь?

«...я тебя обожаю. Знаешь, эти слова, наверное, стоит написать в прошедшем времени — ведь я знаю свой диагноз и знаю, что письмо это попадет в твои руки тогда, когда обо мне можно будет сказать только в прошедшем времени, но все равно — я тебя обожаю!

...не было ни минуты, ни секунды после нашего с тобой разрыва, когда бы я не думала о тебе, и это было как огонь внутри — он не затихал и в конце концов уничтожил меня.

Ты был прекрасен. Ты никогда не делал мне больно. Ты был верен, добр и нежен. Ты был честен. Ты не виноват, что разлюбил меня. Я же тебя люблю, люблю и обожаю, мой милый! Я люблю тебя до смерти».

— До смерти... Гм! — вслух произнес мужчина и поморщился. — Что значит в этом контексте — «до смерти»? Наречие или существительное с предлогом?..

Письмо было написано крупным, ясным Катиным почерком, и было еще много листов, но, прочитав первую страницу, Илья Антонович остановился. Он вдруг понял, что если сейчас он в себя все это впустит, то потом сойдет с ума. Он достал зажигалку и быстро, не раздумывая, поджег письмо. Когда пламя подобралось к пальцам, он отпустил его, и обугленные лоскутки полетели вдоль бульвара.

Он не позволил себе посмотреть им вслед и энергично зашагал в сторону Чистых прудов. Потом свернул в переулок, сел в свое авто и направился домой, к Анжеле.

Через пару дней он забыл о том письме. Потом были несколько хлопотливых лет — Анжела хотела детей, и они родили двух мальчиков-погодков. Потом

Илья Антонович много и напряженно работал на новую большую квартиру.

Потом Анжела завела себе любовника, и Илья Антонович был вынужден расстаться с женой. Квартиру он оставил ей и детям. И, конечно, платил алименты исправно.

Опять много и напряженно работал. Сошелся с Валентиной, коллегой по работе. Потом были Юлиана и Маргарита Викторовна... Платил за обучение сыновей в институте.

А потом у Ильи Антоновича нашли тяжелую болезнь. Что ж, возраст! Как мрачно пошутила врач — каждый доживает до своего рака.

И вот тогда он стал чуть ли не каждый день вспоминать о Кате. И очень корил себя за то, что не дочитал ее прощальное письмо, что сжег его.

Перед самым концом мужчина решил отыскать могилу Кати, чтобы быть похороненным рядом с нею. Но далекое подмосковное кладбище разрослось, его распахала новая трасса.

Могилу так и не нашли. Что ж! Илью Антоновича все равно похоронили там же, согласно его воле. В одной земле как-никак...

На могильной плите он велел своим взрослым сыновьям выгравировать надпись — «Я люблю тебя до смерти», но тут в начале осени, как всегда, случился новый кризис, памятники и услуги гравера подорожали, и сыновья ограничились обычным деревянным крестом. Без лишних надписей — только имя-фамилия и даты жизни и смерти.

ВЕСЕННЯЯ

И ты вступил в блаженные селенья,
Как некий дух, достойный жизни вечной.
Здесь нет надежд, желания, томленья,
Здесь твой эдем, мечты предел конечный.
Перед лицом единственно прекрасной
Иссяк источник горести напрасной.

Гёте, «Мариенбадская элегия»

— ...Парад примет Президент России Борис Николаевич Ельцин. Вот что он заявил накануне: «Россияне! В этот печальный и светлый день...»

Михаил Иванович открыл глаза. Его разбудил телевизор, включенный у соседей, где-то за стеной.

Старик осторожно, с трудом, поднялся с кровати, преодолевая головокружение, добрался до окна и распахнул створки (этаж был первым). Где Гуля-то?

В доме, в другом подъезде, жила Гуля Рахматуллина, дворничиха — низенькая, широкая, похожая на пирата краснолицым свирепым своим лицом, ровесница Михаила Ивановича. Была Гуля странно молчалива, и, если со стороны посмотреть, ее даже можно было принять за немую. Но по утрам она будила весь огромный дом высоким неразборчивым криком: «Сама лентяй! Дурак глупая!» — и что-то еще в таком же роде. А дело в том, что каждое утро Гуля ругалась с водителем мусороуборочной машины, приезжавшим во двор опростать баки, и каждый раз выполнявшим свою работу очень неаккуратно, с чем Гуля никак не могла смириться — кто же так к своей работе относится? Во все остальное время дворничиха хранила презрительное молчание.

И если проходила мимо Михаила Ивановича, то лишь молча улыбалась. Никогда не останавливалась, чтобы поговорить.

Но раз в году она целенаправленно шла к распахнутому стариковскому окну (а окно у Михаила Ивановича целый день было распахнуто, точно тот боялся хоть на минуту, хоть на мгновение быть отрезанным от этого мира, от воздуха, от неба) и здоровалась, поклонившись.

...А, вон и она, Гуля, легка на помине!

Дворничиха приблизилась к окну и произнесла сколь можно приветливо:

— Здраста, Мишка!

На что старик ответил, как и во все прошлые года:

— Здравствуйте, Гуля Ижбердиевна! С праздником!

Гуля снова улыбнулась, ничего больше не сказала и ушла, переваливаясь с ноги на ногу. При ходьбе на праздничной ее, с люрексом, кофте звенели и переливались ордена с медалями, затмевая своим сиянием блеск фальшивой турецкой нити.

Это была величайшая, величайшая милость — старик это прекрасно понимал — ибо никому больше дворничиха не улыбалась и ни с кем не здоровалась.

Раньше, в прежние года, вслед за Гулей выходил из дома и он. У Михаила Ивановича на груди звенел свой иконостас.

На Театральную площадь ехал. Праздник — цветы, музыка, речи... Но более всех поздравлений и речей старик ждал улыбку от Рахматуллиной Гули утром Девятого мая.

Он был особенным, этот старик, перечитавший за свою жизнь сотни прекрасных и умных книг, и потому больше всего ценил то, что дарилось бескорыстно, от всего сердца.

Но сегодня старик никуда не пошел. Не мог. Здоровье вот подкачало...

Остался дома и погрузился в воспоминания.

...Тоже весна была. Весна 45-го. Судьба тогда забросила старика... нет, не старика, а юношу, двадцатидвухлетнего Мишу Рубцова, милого, скромного, тихого и тихо-красивого (таких неярких, но чистых в своей простоте юношей всегда рожала русская земля) — в дальние страны.

Европу они освобождали.

...Какой-то дом. Домик. Особнячок одноэтажный — без мебели и без прочих вещей, без которых не может прожить нормальный человек, только рояль в одной из пустых комнат — бог весть как выстоявший все бои рояль, поцарапанный весь. Миша нажал на одну из клавиш — и в воздухе зазвенела высокая нота. И правда, живой!

Только что отгремел очередной уличный бой. (Его подробностей старик сейчас уже не помнил.) А после этого боя он, молодой — Миша Рубцов, — бесцельно ходил по пустым комнатам чужого дома, и под тяжелыми его сапогами жалко похрустывало какое-то стекло.

Оконное, должно быть — рамы зияли пустотой. Этот хруст напоминал о чьей-то разбитой жизни.

В пустые рамы заглядывал свежий лохматый плющ, успевший сильно разрастись за весну, так любопытно и немного наивно заглядывал.

И солнце дробилось сквозь листья, и прыгали по комнате оранжевые солнечные зайчики, и ветерок в лицо дышал томный, майский — который не греет и не холодит, а только гладит и утешает. И рояль в соседней комнате вдруг заговорил.

Это, значит, Миркин тоже на рояль наткнулся — был у них во взводе такой Давид Миркин, а попросту — Додик, бывший консерваторец... то есть не бывший, потом-то он свое наверстал, просто он тысячу раз мог отмазаться от мобилизации, ведь его гением считали, талантищем (правильно, кстати, считали). Ему пришлось на обман идти, чтобы быть со всеми. Он очень хотел быть со всеми, исполнить то, что называлось долгом. А когда Додик в пути натыкался на всякие музыкальные инструменты, именно натыкался, ибо ко всему прочему и близорук еще был, — то принимался с жадностью извлекать из них музыку. Его любили, Додика этого, — и не только за его музыку, за безрассудную и глупую смелость еще, хотя солдат был он никакой, а портянки за четыре года так и не научился вертеть, все ноги натирал.

Додик тогда в одной из комнат разрушенного дома на чудом выжившем рояле играл Бетховена. «Весеннюю» сонату.

Это была такая нежная мелодия, что казалось, будто ничего нежнее ее на свете и нет — какая-то безумная, абсолютная гармония.

Впрочем, иначе и не могло показаться огрубевшему солдатскому слуху Миши Рубцова. Пчелы над клевером, первая листва, облака... словом, перед глазами моментально рисовались картины проснувшейся природы. У Миши Рубцова, стоявшего в соседней комнате, посреди обломков мебели и разбитого стекла, тогда даже дыхание перехватило, он словно получил возможность видеть далеко-далеко, будто за окном был не разрушенный город, а поля и луга, где пчелы и облака. Где все полно счастьем и покоем — мир, мир, мир! — и, самое-то главное — предчувствием любви.

Додик тогда, в мае 45-го, в чужом доме, чужой стране — играл прекрасно, с каким-то особенным вдохновением. Наверное, с чувством человека, который выполнил свой долг. Звуки из-под его пальцев вылетали легкие, потому что на сердце у Додика было тоже легко.

А Миша Рубцов был уже полон предчувствием любви, даже — отравлен сладко, так он поверил своему другу Додику. Вот бы встретить девушку, которая похожа на эту музыку, на майское солнце, на безмятежные облака в чистом небе...

Правда, потом все сбилось, гармония разрушилась внезапно — Миркин точно опомнился, упал лицом на клавиши, зарыдал — что-то вроде того «будь они прокляты... знать не хочу! Бетховенов ихних, и Гёте, и Фауста тоже!..» — хотя чем был виноват несчастный

Фауст, Миша так тогда и не понял. Понял одно — трудно было другу исполнять музыку, написанную немцем.

Миша зашел в соседнюю комнату, произнес сурово: «Давид, прекрати. Уж музыка-то ни в чем не виновата!»

Додик замолчал, насупился. Снова заиграл. Даже еще лучше...

Ранним майским вечером колонна грузовиков, в которых сидели солдаты, отправилась дальше, на Берлин.

На одном из перекрестков за оживленным движением следила девушка-регулировщица. Она притормозила колонну. Пока грузовик стоял, Миша все смотрел на девушку. Невысокая, хрупкая. В потертой гимнастерке, которая была явно ей велика; на голове — берет, из-под которого выбивались пряди светло-пепельных, вьющихся волос. И лицо — ясное, невинное, задорное и одновременно испуганное, что ли? Милое девичье, даже девчачье еще личико. И нежность, и безрассудное обещание любви в ее глазах...

«Это *она*!» — вдруг подумал Миша, вкладывая в это слово — «она» — все то, что навеяла недавно услышанная им музыка. Удивительно, но он сразу узнал в этой девушке-регулировщице свою судьбу. И даже подумал, что непременно вернется и найдет ее — для того, чтобы не расставаться уже никогда.

Несколько секунд длилось счастье Миши Рубцова. Потом вдруг что-то засвистело, грохнуло, раздалась автоматная очередь. Крики, команды, ответные очереди... Начался очередной короткий уличный бой, в котором Мишу ранили.

Он попал в госпиталь. Скоро объявили о Победе. Потом Мишу выписали, и он принялся искать *ее*.

И, пока искал, в голове у него звучала та мелодия, сыгранная Додиком Миркиным на рояле в разрушенном доме. Мелодия осталась у Михаила Рубцова в памяти навсегда — как обещание грядущего счастья.

Но жизнь так и не выполнила своих обещаний.

Миша не нашел ее. По одним сведениям, та самая девушка-регулировщица — погибла. Именно в той короткой уличной перестрелке.

Все следующие за этим днем годы Миша только и делал, что искал похожую девушку. Не внешне даже, нет, пусть хоть блондинкой будет, хоть брюнеткой, пухленькой или стройной — все равно. Главное — чтобы отражались в ее глазах и нежность, и безрассудное желание любви, и девичий испуг, и женский уже задор. Но... Не было ничего такого, что могло бы встать вровень с тем его весенним предчувствием. Он был сам виноват — идеалист и безнадежный романтик — упрямством своим.

Хотя вокруг столько милых девушек в послевоенной Москве было, готовых отдать свое сердце. Нет, женился не на той, не на своей. Сына родили. Верным ей был.

Но жена Михаила Ивановича, при всех своих достоинствах, являлась крайне не романтичной особой. Под конец жизни все-таки разбежались, хотя формально разводиться не стали.

Жена уехала в Питер, к сыну. Сначала бы вроде внука помогала нянчить, а потом и вовсе там осталась. Внук уж вырос давно!

...День прошел в воспоминаниях.

Старик все так и сидел у раскрытого окна, впитывая в себя майский вечер.

Солнце садилось как раз напротив. Не только сегодня, но и во все прочие теплые дни старик со смутным нетерпением ждал этого момента, потому что его окна на первом этаже бестолкового многоэтажного дома могли ловить только закат. Правда, закат, разбитый растущими во дворе деревьями, долетал до старика лишь в виде золотисто-оранжевых солнечных зайчиков, которые, вдруг появившись, принимались потом неуловимо шустро бегать по стенам, гладить морщины стариковского лица... Но и того было довольно.

Солнечных зайчиков принес с собой тихий ветер. Настоящий, майский — который не холодит и не греет кожу, а просто скользит по ней, щекочет, гладит. Словно утешает.

И не было для Михаила Ивановича ничего важнее этого ветра, и солнца тоже.

В том не было ничего странного, каждый — чаще или реже — обращает внимание на природу, и даже скудная, городская — способна привлечь внимание: каким-нибудь особенно розовым, дивным восходом, или неожиданно бурной тополиной метелью, или скорбно-серыми, безнадежными декабрьскими сумерками. Но этот старик до болезненности любил наблюдать природу, он запоминал цвет каждого солнечного захода, он с напряжением художника (хотя он вовсе не был художником, а бывшим учителем русского языка и литературы) наблюдал смену красок и их оттенков на небе, он первым, например, из своего окна заметил, что вот-вот зацветет сирень, он раньше всех ощутил, что уже скоро, очень скоро за этими тихими вечерами придут другие — с грозами и освежающими дождями.

Зачем ему это было надо? Собственно, незачем, но стариковская жизнь так часто лишена всяких внешних событий, что смена времен года — уже само по себе событие.

...Мимо окон, на миг испугав солнечных непосед, мелькнула знакомая серая тень. Устинов. Его все так называли — старик Устинов. Коротко и ясно. Появлялся он обычно вечерами, как только солнце начинало садиться (а может быть, как только приходили с работы его молодые родичи, и начиналась в квартире вполне законная свистопляска — помыться-поесть-прибраться, словом — «дедушка, вы бы не мешали»). Или вот как сегодня — наверняка в доме Устиновых застолье, отмечают праздник.

В сплющенной временем кепочке цвета «перец с солью», в сером выгоревшем плаще — Михаил Иванович хорошо помнил, когда Устинов купил этот плащ и по какому поводу — лет семнадцать назад, к рождению внучки. Или не к рождению? Жена Устинова в то время жаловалась каждому встречному-поперечному, что ее благоверный завел любовницу на стороне, седина в бороду, а бес в ребро... впрочем, какая ерунда все это, плащ давным-давно вышел из моды, а Устинов — овдовел лет пять назад.

Устинов крикнул нашему старику, сидевшему у окна:

— С праздником! — но подходить к окну не стал.

Устинов шел вдоль дома со страшно озабоченным видом, стучал торопливо палочкой — непосвященный подумал бы — вот дедушка торопится, наверное, в булочную, успеть бы ему до закрытия. Только вот, дойдя до угла, дедушка лихо заворачивал обратно — до другого угла, а потом опять следовал лихой разворот... и опять вперед трусцой. Моцион. Тем более что число разворотов было вполне определенным, так сказать, ежедневная норма. Отсюда и торопливость эта в движениях Устинова — разделаться бы поскорее с этой нормой!

И лишь только после этого, закончив с ежедневным моционом, Устинов приблизился к распахнутому окну. Заглянул откуда-то сбоку, тем самым демонстрируя вежливость, и молодцеватым басом спросил:

— Сегодня великий день. Гм. Как здоровье, Михал Иваныч?

— Так себе, — честно ответил старик.

В ответ Устинов принялся кашлять и сквозь кашель проговаривал:

— Так себе. Гм. Да вы еще бодрячком, Михал Иваныч. А я вот задыхаюсь. Сколько лет прошло, а оно все дает о себе знать!

Это он напоминал о ТБЦ, то бишь о туберкулезе, которым страдал много, много лет назад — и который помешал ему выполнить воинский долг. Только вот к чему все время об этом напоминать? Михаил Иванович вполне верил в ТБЦ старика Устинова.

Откашлявшись, Устинов заговорил о политике. Он очень любил обсуждать мировые проблемы, у него был свой взгляд на них — и когда излагал его, то волновался, стучал палочкой в асфальт, брызгал слюной, походя ругая неудачную вставную челюсть... совершенно напрасно волновался, ибо наш старик и не думал ему возражать.

— Развалили страну. А ведь была державища! СССР! Теперь что? Смех один, а не страна. А кто виноват, Михал Иваныч, кто виноват, я вас спрашиваю?!

— А пес его знает, — устало ответил старик, хотя сам не раз задумывался об этом.

— Ка-ак, вам все равно, и сердце не болит...

— Болит! — оборвал Устинова Михаил Иванович. — Но только что теперь делать?

— Кхе-кхе... тут все ясно, не спорю. Вернее, ничего не ясно. Что делать! Не-ет, прежде чем выяснять, что делать, надо выяснить, кто виноват. Но вы мне человека назовите! Личностей! Тех, которые, понимаете ли, развалили... Кого проклинать?

— Вам обязательно надо кого-то проклинать? — сухо спросил наш старик, воспитанный и десятилетиями воспитывавший на гуманистических литературных принципах.

— Да!!! — брызгал слюной Устинов. — И пускай он горит в аду! Детки, детки, наши детки... В какой стране им жить? — он говорил о детках с мукой и отчаянием, хотя дети его давно выросли. Наверное, он имел в виду внучек — одна уже разведена, другая — студенточка-первокурсница, поступила недавно в медицинский — та самая, к чьему рождению был куплен серый плащ.

Михаил Иванович вдруг некстати вспомнил, что во время войны у молодого туберкулезника Устинова, оставшегося в тылу, была невеста. Невеста же отправилась на войну санитаркой, где была ранена тяжело и лишилась возможности иметь детей. И предусмотрительный Устинов отказался от нее, женился на другой, которая потом тоже изменил и плащ серый купил — «седина в бороду, а бес в ребро». Может быть, Устинов имел в виду тех деток, которым война не дала родиться у них с первой невестой?

— СНГ. СНГ! — неистовствовал Устинов. — Ну разве приличная страна может называться СНГ?

— Ну, полно, — попытался его успокоить Михаил Иванович, — разве можно так волноваться? Не мальчик уже вы...

Мимо в обратном направлении просеменила дворничиха. Пришла с парада. На Устинова она даже не взглянула, такой уж был у нее характер — мизантропический. Впрочем — в который раз заметил наш старик-гуманист — Устинова она как-то особенно не любила и отворачивалась от него слишком старательно.

— Сдает наша Гуля, — сказал Михаил Иванович, чтобы как-то отвлечь собеседника от его неистовств, — на прошлой неделе «Скорую» ей вызывали. Кончается наше время...

Устинов опять как-то вызывающе закашлялся. Снова заговорил о политике, а потом вдруг сбился:

— А что с ней было?

— С кем?

— Ну, с Гулей — вы говорили...

— Сердце.

— Да-да, у нее сердце, у меня сердце, у всех серд-це. Оно у всех болит.

Неожиданно Устинову стал неинтересен Михаил Иванович и этот разговор. И он, даже забыв распро-щаться, побрел к своему подъезду, робко стуча своей палочкой. Дело было в том, что Гуля считала Устинова трусом и ей было абсолютно все равно — каверны в легких или что другое. По мнению Гули, Устинов своего долга не выполнил. Да и слух о той брошенной сани-тарке, первой невесте... Словом, понятно, почему Гуля решительно не замечала Устинова.

...Михаил Иванович остался у своего окна в одино-честве. Через некоторое время воздух стал лиловеть, наливаться тяжестью — это сумерки спускались на го-род. Оранжевые зайцы еще поозорничали немного, а потом вдруг разом исчезли. Солнце село.

Старик у окна глубоко вздохнул.

В это время в легком светло-сиреневом платьице — в тон сумеркам, со светлыми кудрями над светлым лбом вышла во двор внучка Устинова. Она любила гулять по вечерам, в спокойном безлюдье.

Было ей от роду семнадцать лет, но выглядела она много моложе — худенькая, невысокая, с кудряшками этими детскими светло-пепельного оттенка... Робка и застенчива до удивления — старик никогда не замечал, чтобы она играла с кем-то в детстве, а повзрослев — входила в компании эти молодежные — с гитарами, с поцелуями, с громким хохотом и пивными бутылками. Да не то что с компанией — с девчонкой-подружкой ее не видел никто. Такая вот не от мира сего, смутная тревога своих родичей, включая, разумеется, и чадолюбивого дедушку Устинова.

Старик Рубцов, в бытность свою учителем, успел наглядеться на взрослеющих девиц — одна, например, вчера еще была ребенком, а сегодня уже — с вполне развитыми формами, искусственными кудрями, не девушка даже, а дама. Другая старшеклассница порхает мотыльком, словно нет для нее закона земного притяжения, и — по глазам видно — еще детские сны снятся. Так вот, внучка Устинова, как там ее — Вика? — побила все рекорды позднего созревания. Но тем и мила была, да, тем и мила. Дитя. Ее хотелось наставить и защитить. Кудри эти легкие и светлые над светлым, гладким лбом. Но в глазах — задор уже появился.

Увидев ее сегодня, на исходе майского вечера, старик вдруг заметил в Вике легкую перемену. Он воспринимал все сегодня слишком остро, и, глядя на милого, давно знакомого ребенка, он в первый раз понял, что уже расходятся слегка края бутона — в нескладном подростке стала заметна юная женщина. Да, именно он, старик, первым это заметил и обрадовался. Во взгляде, в движениях Вики угадывалось нежное, отчаянное, безрассудное желание — любить.

Какое-то время он любовался ею — очень чисто и целомудренно любовался — так на женщин не смотрят, не видя ни лица, ни тела, так смотрят на иконы, замечая лишь одно сияние, свет вокруг чела, и потом смутился страшно, точно подглядел что-то недозволенное.

А она ходила по двору, качалась на детских качелях, ладонями касалась деревьев, их коричневой морщинистой коры касалась розовыми ладошками своими. И не догадывалась ни о чем, и не замечала ничего, даже собственного сияния пока не замечала. (Если б можно было стать деревом!)

Старик так разволновался, что заставил себя отойти от окна. Постоял возле стола, покрутил ручку приемника. Приемник побулькал немного и стал выдавать последние новости.

Как странно — он, Михаил Рубцов, совершенно никакого отношения не имеет к этим новостям, и он никогда больше ничего в этом мире не изменит. Раньше — мог, да, тяжелыми сапогами ходил по Европе, давил нечисть всякую, а теперь — все. Он старик. Он даже не имеет права глядеть на девушку за окном. Его время кончилось.

После новостей радио разразилось рекламой, потом еще побулькало немного и вдруг сказало нечто, чего старик как будто уже давно ждал.

Не ослышался ли? Нет. Так и есть:

— ...исполняет Давид Миркин. Запись из фондов радио.

Мгновение спустя — нежнейшая, чистейшая гармония разлилась по комнате, вместо солнца осветила темные углы. И вот уже за окном, обвитым кудрявым плющом, над зеленым лугом полетели пчелы, теребя махровые шарики клевера, торжественно и тихо поплыли облака, а навстречу юному, милому мальчику Мише Рубцову бежала она — среди зелени и сини, в гудении пчел — она, вечная весна, юная регулировщица. Со светлыми кудрями над светлым лбом, с лицом Вики, внучки Устинова. Виктории.

Сбылось. Он, Миша Рубцов, нашел *ее*. Вновь увидел въявь, живой и прекрасной.

Старик подошел к радио. Додик играл хорошо, в этот раз — на скрипке, на своем «главном» инструменте, и ему подпевали тысяча других голосов. А еще — в этот раз он не сбивался, не кричал проклятия. Простил «им» окончательно?

Бедный Додик умер лет десять назад — теперь уж не спросишь его. Старик с такой любовью представил его — кудрявого, нескладного, темпераментного, — что вдруг стал бережно протирать радиоприемник, не зная, как еще выразить свои чувства.

— Ну и что, — сказал он, глядя в темноту за окном, — я тоже простил.

Следующим утром Гуля заглянула в комнату к Михаилу Ивановичу и нашла старика мертвым.

Через сутки приехал из Питера сын Рубцова с внуком — парнишкой лет восемнадцати.

Старика похоронили с почестями. На панихиде присутствовали Гуля и Устинов. Гуля молчала, насупившись, а Устинов рыдал, точно ребенок, и все время кашлял.

Тем же вечером во дворе встретились внучка Устинова, Вика, и внук Рубцова, тоже названный Михаилом.

Молодые люди поболтали недолго, сидя на скамейке. Вроде ничего и не произошло.

Только в середине лета Михаил приехал в Москву, в институт поступать. Поступил. И в том дворе чуть не каждый день стал появляться.

* * *

Потом ушла из жизни Гуля. Устинов держался еще долго, очень долго. Но и он тоже ушел.

* * *

На майские махнули на дачу. Детей с собой вытащить не удалось — у них сессия. Да и не любили особо дети дачу, скучно им. Ну и ладно, вдвоем тоже хорошо.

Вика мыла окна, а Михаил подновлял забор. Возился долго, потом вернулся к дому — Вика протирала до зеркального блеска стекла. В шортиках до колен, белой майке, светлые волосы из-под косынки выбились. Сорок лет, а все как девчонка!

Солнце, пчелы гудели над травой... И музыка из дома — работал проигрыватель. Какая-то классическая, приятная музыка.

— Чему ты улыбаешься, Миша? — крикнула весело жена.

— Я вот думаю... У меня эта мелодия почему-то с тобой ассоциируется. Ты — такая же. Ты — как эта мелодия.

— Дай руку.

Она оперлась на протянутую руку, спрыгнула вниз. И звонко поцеловала мужа.

ТОЧНЫЙ РАСЧЕТ

Он родился еще в советские, скудные времена — когда все были равны и жизнь каждого человека подчинялась определенному порядку, нарушить который могло лишь чудо.

Его мать, Галина — не первой молодости женщина — работала кассиром в гастрономе, отец там же — мясником. В общем, жили чуть-чуть лучше, чем прочие граждане, измученные дефицитом.

Мать вырвала, выгрызла у жизни кусочек своего счастья: она, кроме эффектной внешности, ничем не обладающая, приехала из деревни в столицу по лимиту. Долго искала подходящего кандидата в женихи, вроде бы находила, а потом понимала с досадой — мимо! Потому пришлось пойти аж на восемь абортов. А как иначе? С «довеском» приличную партию не сделаешь! Наконец, с трудом устроилась в крупный московский гастроном и там уже нашла своего «принца».

Продавец мясного отдела, со связями по всей Москве (поди найди за просто так кусок хорошего мяса на прилавке в те времена!). И артисты со служебного входа к нему заглядывали, и профессора, и прочие нужные и интересные люди...

Но — женат и детей двое. Две девочки.

Это не остановило энергичную приезжую. Она билась за своего мясника, точно одержимая. Жизнь-то один раз дается... И получилось.

Мясник бросил жену с детьми, женился на Галине. Купили кооператив — двухкомнатную квартиру. Обставили ее красиво — хрусталь, ковры, сервизы, «стенка». Живи, да радуйся... Но была одна закавыка.

Мясник хотел сына. Собственно, он потому и бросил первую жену, что там одни девки шли. Так и заявил новой супруге — не родишь мне сына, и тебя брошу, хоть ты и точная копия Джины Лолобриджиды.

А у Галины — куча абортов, и годы уже не те, к тридцатнику близко. И чего-то не беременеет... Тогда начала она новую битву — за ребенка. Благодаря связям мужа нашла докторов, бегала по ним, какие только мучительные процедуры не делала... В конце концов — понесла.

Счастье безумное, и давящий по ночам ужас — а вдруг и у нее девка родится? Тогда уж точно все труды насмарку!

Но родился сын.

Когда старая сука медсестра, тоже лимитчица, впервые принесла его в палату и Галина приложила сына к груди, то она почувствовала себя настоящей царицей мира.

Сбылось. Свершилось. Теперь у нее есть ВСЕ.

И даже больше. Разглядывая сына, Галина заметила, что мальчик ее красив, очень красив. Остальные дети выглядели обычно — красные, сморщенные, щекастые, одинаковые.

А ее мальчик — не такой. Его хоть сейчас на журнальную обложку.

Потом и соседки по палате это признали. И муж-мясник восхитился, когда его по великому блату пустили на младенца посмотреть.

«Назовем сына по-царски, — решила Галина. — Александром. Сашей!»

Муж был не против. Саша так Саша. Он после рождения сына пил много, все хотел залить костер счастья, что пылал у него в груди. В самом деле, и он, супруг Галины, достиг своего пика. А счастье просто так, ничего не делая, перенести очень трудно. Иначе оно сердце может разорвать!

Галина ворчала, рычала на мужа, но особо не протестовала. Пусть пьет, пусть пообвыкнется мужик.

Но супруг обвыкался слишком уж долго, и года через три после рождения сына превратился в настоящего алкоголика. С работы его выгнали, и пошел он в грузчики. А когда стал из дома вещи пропивать, Галина сдала мужа в ЛТП. Там он озлобился, вернулся полный ненависти, вновь начал пить, но тут его в пьяной драке зарезали.

Они остались вдвоем — мать с сыном.

Нелегко, но, как ни странно, Галина ощущала некоторое спокойствие — она все сделала, что было положено женщине. У нее и квартира, и работа, и ребенок есть. Ну, а что мужа потеряла — так это нормально. Почти все вокруг женщины ее возраста одинокие...

Сын стал теперь смыслом жизни.

Он и вправду был необыкновенным. Необыкновенно красивым. Причем не той аляповатой, слащавой красотой, от которой у окружающих мысли всякие нехорошие, а настоящей, мужской — вызывающей в женской душе смятение и восторг...

С самого детства на Сашу обращал внимание женский пол. Девчонки заглядывались, писали в школе записочки, звонили домой и трубки потом бросали.

Началась перестройка, потом жизнь совсем скудной и голодной стала. Галина жилы из себя тянула, чтобы сына вырастить. Челноком подрядилась — возила товары из Польши, тут перепродавала. И старалась наставить сына на путь истинный. «У тебя дар есть — твоя красота. Не связывайся с кем попало, ты ж с твоей внешностью любую можешь выбрать! Выбери самую лучшую, достойную».

Шалав Галина от сына гнала, к девочкам из хороших семей присматривалась.

В девятом классе на Сашу положила глаз учительница истории. Ей двадцать четыре было. Умная девка. Пришла к Сашиной матери и напрямую ее спросила — не отпустит ли Галина сына к ней?

Галина подумала и разрешила. Учительница поможет Саше с аттестатом. Опять же, с головой девка дружит, опытная, бабкой Галину раньше времени не сделает.

А сын — под присмотром. Уж лучше с учительницей, чем с какой-то из этих шалав... Вон они, так и охотятся на него!

Кое-кто из знакомых Галину чуть сумасшедшей не стал считать (после переселения сына к училке), а некоторые, наоборот, одобрили — умная мать.

* * *

Саша с детства знал, что он красивый, с детства привык, что пользуется девичьим вниманием. И позже, когда повзрослел, понял — это дар судьбы, и грех им не воспользоваться.

Он всегда получал от женского пола то, что хотел, извлекая выгоду из своего дара и помимо утех любовных. Ему дарили подарки, ему помогали, его продвигали, ему прощали многое.

Другие пацаны, если и завидовали, то не в открытую — поскольку Саша, пусть и девичий любимчик, но настоящий парень, свой в доску. Саша открыто ставил свои мужские интересы выше. Девчонок даже еще больше заводило, что он такой независимый, свысока смотрит.

Еще тогда Саша понял: чем с женщинами хуже, тем они лучше. Они негодяев больше любят.

Василиса, училка, его взглядом так и сверлила в школе, на уроках. Она не старая еще была и симпатичная. Стройная, волосы темные, короткие, одевалась в платья-сафари, бусы яркие любила. И все смотрела, смотрела, и ноздри раздувала, и улыбалась...

Саша знал, чем все закончится. Пусть смотрит сколько угодно, пусть думает, что у нее власть. Нет, у него власть, он ее хозяином будет.

Так и вышло. Хоть формально Василиса его к себе позвала, порядки в ее доме диктовал он. И это была безумная любовь — с руганью, драками иногда и сладчайшими примирениями.

Василиса любила юношу, точно кошка, и ревновала бешено. Она классной руководительницей их стала даже специально. Всем девчонкам, которые на Сашу заглядывались, двойки ставила.

Тут Саша мог изгоем стать, но нет — он интересы своих друзей решил отстаивать. Быстро взял Василису в оборот, сам стал указывать, что ей делать, кому какие оценки ставить.

На уроках истории царил бардак. Василиса знала — если что Саше не понравится, он уйдет от нее.

Чем хуже он себя вел, тем покорнее она становилась... Покорнее и фанатичней. «Восемнадцать тебе исполнится — поженимся! — твердо заявила она. — Иначе я чего-нибудь придумаю ужасное. Ты не отвертишься у меня!»

И в самом деле, от Василисы можно было чего угодно ожидать — и убить могла, и кислотой серной облить (даром, что она с химичкой дружила), и обвинить в чем-нибудь...

Но Саша хитрей оказался. Обещал Василисе жениться, клялся в любви и верности, а сам быстренько в армию свалил.

Как же Василиса тут бесилась, какие истерики закатывала, чуть в петлю не лезла... Это мать рассказывала, когда к сыну на побывку приезжала. «Ты уж с ней больше не связывайся, сыночка, от таких липучих баб подальше надо держаться!»

После армии Саша учиться в институт не пошел. А зачем время тратить? Тем более что люди с диплома-

ми без работы сидели или вот как мать — в челноки
переквалифицировались.

Саша окончил техникум, потом нашел себе прекрасное дело — стиральные машины чинил, подключал.
Жизнь в стране как раз начала налаживаться, народ
разбогател, стал позволять себе бытовую технику.

Начал Саша работать при конторе одной, откуда заказы шли, потом от себя стал на вызовы ходить. И работа, и приработок. На сложные случаи, когда стены
штробить надо было под проводку, трубы резать и тому
подобное — с напарником, Сергеем, выезжал.

Стиральные машины-автоматы приобретали люди не
бедные. И с мастером, приходившим технику устанав-
ливать, общались в основном женщины. И очень многие западали на Сашу. И, хоть замужние, хоть одинокие — позволяли себе многое, как в анекдоте...

Это была веселая, беззаботная, полная приключе-
ний и бурных романов жизнь.

* * *

Галина на сына не нарадовалась — с руками оказался парень, без куска хлеба не останется, и женщины
ради него на все готовы. Одна вон шмотками задари-
вала, заграничными, фирменными (а не тем ширпотре-
бом, который Галина перевозила), другая продуктовы-
ми заказами снабжала, третья — билетами в театр и на
прочие культурные мероприятия. В театр, правда, Саша
не ходил, билеты матери отдавал — та либо перепродавала их с наценкой, либо дарила «нужным» людям.

Жили мать с сыном очень хорошо. Конечно, не шикарно, как новые русские, но зато спокойно. Вон, на этих бизнесменов то и дело бандюганы или рэкетиры наезжают, лучше уж от греха подальше...

Хотя, конечно, Галина по-прежнему боялась шалав. Вот эти могли Сашеньке жизнь испортить! Так оно и случилось.

Появилась в Сашиной жизни одна, с Урала откуда-то. И умудрилась залететь! Саша, как честный человек, решил жениться. К тому же признался, что влюблен — впервые в жизни.

Как только Галина сына не увещевала, чего только не устраивала, чтобы брак этот расстроить! Не получилось. Женился ее Сашенька, дочка у него родилась. А его ли? Она же шалава, эта его, уральская... (Как уже упоминалось, всех женщин, особо не мудрствуя, Галина делила пополам — на шалав и «приличных».) Если крашеная, курит и сомнительное прошлое — значит, шалава. Сразу видно. Особенно если приезжая и за москвичами охотится. А если еще работа у нее соответствующая, типа продавщицы или официантки — то все, совсем пропащая.

Сашенькина невеста, как назло, собрала в себе самые худшие качества — крашеная, курящая, приезжая официантка.

Весь дом пеленками завешала. Саша памперсы доставал, тогда еще дефицитные, любой матери подмога, но толку-то... Шалава ничего по хозяйству сделать не могла, даже с памперсами на дочке.

А еще шалава после родов вздумала Саше сцены ревности устраивать.

Решили они развестись, Саша с женой-шалавой. Так что же? Шалава вздумала половину жилплощади оттяпать. А фиг ей! Галина подключила все свои связи — и выгнали шалаву ни с чем. Уехала прожженная бабенка на Урал вместе с дочкой своей.

Галина потом в церковь ходила, свечки ставила — спасибо, Господи, что помог от этой дряни без всяких последствий избавиться!

Саша после того уже не дурил, о великой любви не заговаривал. И жили они, мать и сын, прекрасно. Галина, как ушла на пенсию, участок под Москвой купила, дом там строила. А как построила, стала жить — с весны до поздней осени. Компоты варила, варенье делала, овощи солила — все свое, домашнее. И сыну одному в городе хорошо, свободно — целая квартира в его распоряжении.

Никакие кризисы в стране им уже не страшны были.

Саша, с его золотыми руками, всегда при деле, ну, а мать — на земле, которая всегда прокормит.

* * *

Он спиной взгляды женские чувствовал. Со спины они иногда в него влюблялись, даже еще лица не увидев. Саша стройный был, ростом чуть выше среднего. Бедра узкие («попка как орех» — материно выражение), плечи широкие. И форма головы очень правильная, не круглая, и не дынькой, а с соразмерным, аристократическим затылком. (Про аристократический затылок Василиса в свое время поведала.)

Волосы у Саши тоже ничего были — густые, приятного каштанового оттенка, чуть вьющиеся на концах. Их Саша коротко не стриг, но и длинно, под хиппи, тоже не отпускал. По плечи. И еще назад он их зачесывал, как актеры в кино. Получалось просто и очень благородно.

Так вот, стоит, бывало, Саша — то ли в очереди, то ли еще где — и прямо чувствует жжение между лопаток. Оборачивается, и точно — смотрит какая-нибудь.

И вздрагивает вся, когда лицо его видит. Лицом-то Саша тоже очень хорош. Одни его с молодым Аленом Делоном сравнивали, другие с актером Николаем Еременко, тоже в молодости, третьи еще с кем-то сходство находили... В общем, настоящий красавец, хоть сейчас в кино снимай.

Кстати, один раз Саша действительно в кино пытался пробиться. Его помощница режиссера на улице встретила. Сначала она его в постель потащила, а потом — на съемочную площадку. Но, к сожалению, актерского таланта у Саши не оказалось. Как кто-то на площадке сказал — холодный, без темперамента.

А и ладно. Негоже мужику лицедействовать, чужие страсти-мордасти изображать. Он не холодный был, а сдержанный. Надоело все это еще в молодости, когда с Василисой они друг другу сцены устраивали...

С возрастом Саша становился все спокойнее. Это на баб еще сильнее действовало, кстати.

Сколько раз замечал — вот подключит он какой-нибудь дамочке стиральную машину, а потом объясняет, как ею пользоваться, сколько белья загружать да порошка сыпать — чтобы, значит, машинка потом раньше времени из строя не вышла.

Объясняет он спокойно так, четко, рассудительно, а она, дамочка, на губы его смотрит. И глаза у нее темнеют, и ноздри раздуваются. И сама потом предлог находит — а не выпьете ли чаю, а не посмотрите ли еще батареи у меня в спальне...

Саша никогда первый шаг не делал. Мало ли что!

А когда с напарником, Серегой, выезжали на заказы, иногда случалось и следующее — хозяйка, одна, наблюдает за работой, вертится рядом, а потом к ней подружка заезжает, якобы случайно (позвонила той, само собой).

И уже двое на двое вечеринка получается.

Серега всегда удивлялся — у него одного дело никогда не шло, а с Сашей когда в паре — вечные истории приключались...

Ошибался Саша иногда, не без этого. Пару раз болезни нехорошие случались (хотя вроде бы все меры профилактики предпринимал), однажды ревнивый муж, вернувшийся с работы пораньше, чуть не убил, тогда в Склифе пришлось полежать.

Остался шрам на подбородке. Кстати, Саше он шел, со шрамом его дамочки называли «брутальным».

Но чем дальше, тем рассудительнее становился Саша, не на все подряд призывные взгляды отвечал. Выбирал только тех женщин, что покрасивее, или тех, от которых выгоды больше будет. В принципе, он уже все про всех знал. И про то, как все будет. Что скажет, что сделает она, какой в постели будет, какие слова после того произнесет, будет или не будет дальнейших встреч добиваться.

А однажды женщина ему понравилась одна. Не шибко красивая, не слишком «выгодная», но такая... с огоньком, интересная. Умница, журналистка, что ли. Он ей стиральную машину подключал, ну, а после того, сами понимаете, что произошло. Запомнилось. Саша рискнул и сам к ней второй раз заявился, у дома ее ждал.

А она увидела его и поморщилась. И сказала нечто заковыристо-обидное, по смыслу примерно следующее — что Саша мужик на один раз, и серьезные отношения с ним невозможны. Он никто и никакой, примитивный работяга, с которым и поговорить не о чем. Пролетарий и плебей.

И припомнила, что Саша в первый свой визит говорил — «ложить», а не «класть». Сроду никто не привязывался к тому, что он каждый раз женщинам объяснял, сколько белья в стиральный барабан надо «ложить», а тут вдруг претензии какие-то грамматические!

Саше стало очень обидно... Эта журналистка ему понравилась, он даже думал о том, что хорошо бы с ней серьезный роман закрутить, и вообще, пора бы остепениться. А тут такой облом...

Хотя, если подумать, времена уже другие настали, когда образование в цене поднялось. Интернет появился, все компьютерами обзавелись.

Саше сорок с небольшим гаком было. Но он не побоялся, поступил в институт, на заочное. Вернее, одна дама помогла, она там преподавала. Проучился год, после второй сессии его отчислили, поскольку он отказался на той даме жениться, а она отомстить решила. Ну и ладно, институт был дурацкий, слишком сложный. Мозги почему-то не воспринимали абстрактные знания, не впитывали их...

Саша тогда решил на платное поступить, чтобы уж ни от кого не зависеть.

Но тут приехала дочь с Урала, о которой он уже и забыл — взрослая, нахальная девица, и потребовала, чтобы папочка оплатил ее образование. И либо помог ей квартиру снять, либо у себя поселил на время учебы.

Саша от подобной наглости обалдел. Ничего себе заявление... Да кто она такая, может, и не его дочь вовсе?!

Дочь потребовала генетической экспертизы. Саша, в расстройстве чувств, согласился и сам все оплатил, будучи в полной уверенности, что дочь — не его, ведь слишком темным было прошлое его единственной жены, подозрительно внезапно она тогда забеременела, и свадьба состоялась столь стремительно, что самому теперь странно — как он, Саша, на все это согласился? Не иначе и правда задурила ему тогда голову нахальная приезжая...

Кроме того, бывшая жена никогда не требовала с Саши алиментов, а не это ли главный знак того, что дитя — не от него?

Экспертиза показала, что дочка — родная. Саша был сражен. Он никогда не думал о дочери, не вспоминал, а тут вроде как заново стал отцом.

И вроде как уже неудобно ему самому куда-то поступать, когда родной дочери учиться надо... Чего это он, в самом деле, на старости лет о высшем образовании вспомнил? (Не на старости, не на старости, это просто образное выражение!)

Саша чувствовал себя раздавленным. Матери он не стал ничего говорить. Тем более та до поздней осени на даче... Ух, она ругаться станет, когда узнает, что он сам, добровольно, отцовство свое признал, дочь Сашину погонит, в результаты экспертизы не поверит.

«Но ты же мужик, папа, — говорила дочь. — Алименты не платил, так хоть сейчас помоги!»

Саша согласился поселить дочь у себя, на время — пока поступать будет. Потом пусть в общежитии живет. Платить тоже согласился — но с условием, что она не в какой-то крутой вуз поступит, где цены немереные, а куда попроще.

Договорились. Целое лето дочь, Алиса, жила в Москве. Саша с трудом, но вытерпел. К счастью, дочь поступила в институт, и, причем, поступила на бюджетное и свалила, наконец, в общежитие. И больше не появлялась, ничего не требовала.

По сути, Саша отделался малой кровью. И мать ничего не узнала, не стала скандал затевать.

Заодно перестал о высшем образовании думать. Вроде как поздно. И тут он с девушкой одной познакомился... И опять влюбился. Но она с характером оказалась, из современных капризных девиц. Ей деньги были нужны — на салоны, на шмотки, на поездки за границу. Саша, конечно, тратился на нее, но девице

165

все мало было. Начала она пилить Сашу, что тот на старости лет обычным работягой остался, хотя другие мужики в его возрасте бизнесом ворочают. И то ей не то, и это не так... В конце концов девица его бросила, связалась с каким-то крутым «папиком» на «Лексусе», а Саше напоследок заявила, что в его возрасте с молодыми-красивыми стыдно встречаться, если капиталов нет.

В душе осадок неприятный остался после этого романа.

В самом деле, он же уже в возрасте мужик, а какие у него достижения? Ну ладно, хрен с ним, с образованием... И без образования люди кучу денег имеют. А он — кто?

Мастер по подключению «стиралок». Профессия, конечно, нужная и востребованная, но и правда, сейчас все меньше москвичей, кто этим занимается. В основном одни приезжие подключают-ремонтируют-строят. А у коренного москвича в этом возрасте уже другой уровень жизни должен быть. Свое дело, своя контора, свой бизнес...

И по бабам бегать тоже несолидно (это уже он сам, от себя решил). Скоро полтинник, а у него — ни котенка, ни ребенка (Алиса не в счет, она без него росла).

Почему жизнь так сложилась, кто в этом виноват?

Страна виновата. Вечно какие-то катаклизмы.

Мать виновата. Она же его, Сашу, таким воспитала...

Василиса виновата. Да, да, да, Василиса — с нее все и началось! Саша перестал учиться — потому что знал, что Василиса с аттестатом поможет.

Но еще не поздно все исправить. Если он станет солидным мужиком, имеющим свое дело, — то все изменится. Он найдет себе юную, невинную девушку, заведет с ней семью, будет изумительным отцом...

Он станет КЕМ-ТО, а не наемным работягой.

В Саше словно материнские гены проснулись. С таким же упорством Галина когда-то устраивалась в Москве, выскребала из утробы ненужных детей, потом воевала за своего принца, обставляла квартиру, бегала по врачам в попытках вновь забеременеть, тянула из себя жилы, надрывалась...

Спокойный, рассудительный Саша пошел на риск. Взял большой кредит, чтобы открыть свое дело (контору по установке и ремонту бытовой техники). Открыл, набрал заказов... Но что-то там не получилось, какой-то дебет с кредитом не сошелся, а наемная бухгалтерша оказалась дурой... Словом, он прогорел.

Пришлось продать дачу, чтобы рассчитаться с долгами.

Галина, мать, была в шоке. Она орала на сына, билась в истерике, рвала на себе волосы. А тут новый кризис в стране. Нет, Саша без дела не сидел, бегал по заказам, но уже было ясно — это не жизнь, это выживание. Новую дачу вот так просто, как раньше, не построить, не найти. Если только за триста километров от Москвы, в глуши какой-нибудь...

Саша с матерью жили теперь круглый год рядом. Мать ругалась с утра до вечера.

Саша начал стремительно лысеть и был вынужден сбрить свои красивые каштановые кудри. Нет, он выглядел еще мужчиной не старым (хотя и близко к полтиннику) и весьма симпатичным, да и бритая голова была, что называется, в тренде, но... Но все не то. Молодые красивые девушки все реже обращали на него внимание. Озабоченных теток, толстых и небогатых веселух, которые рады любому — было по-прежнему полно, но эстет Саша-то привык к другому!

И тут, кажется, удача сама пошла ему в руки.

Однажды он в очередной раз взял заказ на подключение стиральной машины.

Дом в центре города — добротный, сталинский, с охраной во дворе (просто так никого не пускают), с консьержкой, коврами и фикусами на каждом этаже. Квартира четырехкомнатная, богатая и уютная.

А хозяйка — очень милая женщина оказалась, Елена. Одинокая, сыну двенадцать лет. Выглядела прилично, добрая, душевная; и страшно тосковала без мужчины рядом. Почему одна — Саша сразу понял. Елена, при всех своих прелестях, была очень застенчива. И умница, к тому же — главный бухгалтер на известном предприятии.

Единственный ее недостаток — полновата немного. Но Саша закрыл на это глаза, ибо понимал, что идеала уже не найдет.

Слово за слово... Улыбки, румянец, тихий разговор на кухне, под чай. С Сашей, таким простым, Елена чувствовала себя легко, не стеснялась.

Он взял ее руку, поцеловал. Она отозвалась тут же — застонала, прикрыв глаза, задрожала...

Ей надо было именно этого. Мужской ласки. Много. Часто. И чтобы все долго каждый раз длилось... То есть Елена нуждалась в том, чем легко мог поделиться с ней он, Саша.

Он стал приходить к ней каждый вечер. В десять сын Жорик ложился спать, а Елена открывала дверь, впускала в квартиру Сашу.

Скоро Елена призналась, что она не представляет своей жизни без него, и она хотела бы, чтобы их связь стала постоянной, пусть и без штампа в паспорте. Саша ответил, что сам ее обожает, но понимает — он Елене не ровня. И что он очень, очень хочет стать ровней. Если бы у него был свой бизнес, то ее окружение признало бы его, и они бы не скрывались уже.

Елена согласилась. В первый раз такое было! Чтобы женщина выразила готовность помогать Саше. Теперь у Елены и Саши была общая цель — сделать Сашу КЕМ-ТО.

Елена, женщина с экономическим образованием, составила бизнес-план. Все рассчитала. Готова была помочь с получением кредита в банке и всем прочим, что нужно для открытия предприятия.

Она потихоньку принялась выводить Сашу в свет. Друзья Елены, топ-менеджеры всякие, сначала смотрели на него с недоумением, но потом то ли привыкли, то ли еще что... Притихли, перестали шуточки отпускать, морщиться в его присутствии недоуменно, переспрашивать каждое слово. Саша познакомился с бывшими мужьями Елены — первый, отец Жорика — молчаливый, скупой на эмоции, сухощавый, похожий на вяленую рыбу мужик лет под шестьдесят. Второй — язвительный дылда в очках, такой нудный, что у Елены, когда она с ним общалась, шли по коже цыпки. Словом, стало ясно, почему ни первый, ни второй муж не могли сделать эту темпераментную женщину счастливой.

Любил ли Саша Елену? Он сам не понимал, сознавая лишь одно: эта женщина — его пропуск в счастливое будущее. В конце концов, о браке она не просила, хотела только одного — жить свободно и открыто со своим бойфрендом, лишь бы окружающие не шушукались за ее спиной. И это плюс, что Елене штамп в паспорте был не принципиален! Значит, можно было открыть свое дело, а потом потихоньку-помаленьку отдалиться от Елены, и, когда его бизнес наладится, зажить своей, настоящей жизнью, и делать уже только то, что душа просит...

Свобода. Возможность выбора. О да, он найдет молодую, чистую, создаст с ней семью, родит ребенка. Он станет обеспеченным мужчиной, прекрасным мужем и отцом. Вот тогда у него будет все, вот тогда он достигнет своего пика.

Но тут случилось нечто странное. Саша, конечно, ожидал подвоха от друзей Елены, от ее бывших мужей, но удар в спину сделали не они.

Жорик, Еленин сын, в выходные в очередной раз отправился к своему отцу (и бабке, соответственно). И там мальчик устроил истерику. Заявил, что мать перестала на него обращать внимание, забросила его и только со своим новым хахалем, Сашей, и возится. Якобы она специально укладывает сына рано спать (его, подростка уже, а не детсадовца какого-то!), а сама занимается с Сашей сексом, и делает это так громко, что он, ребенок, испытывает страшные мучения каждый вечер, слыша за стеной эти ахи-охи. А еще Саша грубиян, лапоть и грозился Жорику «надрать задницу».

В общем, Жорик отказывался возвращаться домой и демонстрировал все признаки психологической травмы.

Приревновал малец мать, вот и устроил спектакль.

Скандал случился страшный. Допустим, Елена никогда не укладывала сына спать насильно в столь раннее время — тот сам, добровольно уходил в свою комнату. Допустим, иногда мальчик и мог слышать что-то такое из-за стены... Но дом-то сталинский, стены толстые, пусть не врет, что каждый вечер ему приходилось слушать концерты. Допустим, один раз Саша ляпнул про «надрать задницу» — но исключительно в шутку, беззлобно!

Но никто в этих тонкостях разбираться не стал. У ребенка психологическая травма, и точка.

Первый муж Елены грозил Саше судом. Бабка, то есть мать первого мужа, обещала нанять бандитов, чтобы Сашу убили. Друзья Елены презрительно корили женщину за то, что она оказалась столь слабой «на передок», что предала родного сына.

Конечно, Елена выбрала сына. Конечно, ей пришлось расстаться с Сашей. Они потом еще несколько раз, тайком встречались в какой-то гостинице. Был безумный секс, с настоящими воплями (а там-то, дома у себя, Елена еще сдерживалась). Словом, что-то ненормальное, отвратительное...

Только тогда Саша понял, что это не он, а Елена его использовала. Так гадко, противно ему стало. И, главное, никаких уже обещаний со стороны Елены, что она ему поможет открыть бизнес.

Тогда он с этой женщиной расстался.

Вернулся к своей работе, стал набирать заказы, в надежде, что сам справится, сам вытянет себя в люди, но тут друг Серега обиделся, накатал на него телегу начальству, и Сашу выгнали из конторы, в которой он проработал столько лет.

Мать еще скандалила постоянно, лишенная своей дачи... У Галины, Сашиной матери, характер был ведь совсем не сахарный. Домой никого к себе не приведешь...

Словом, все плохо. И лучше уже не будет.

Саша взял, да и повесился в ванной комнате, пока мать ходила в магазин.

* * *

Галина не умерла от горя. Она выдержала этот удар судьбы. Переживала, болела долго, похудела на тридцать килограмм... Но деревенская привычка — «надо выживать любым способом» — сидела у нее в крови.

Да, теперь она одна. Совсем старуха. Кто о ней позаботится?

Алиса. Алиса, внучка.

У Алисы дела обстояли следующим образом. Мать, та шалава-приезжая с Урала, бывшая Сашина жена, давно померла. Алиса же окончила институт, работала, снимала квартиру в Москве.

Галина зазвала ее к себе. Обещала завещать квартиру, если внучка останется с ней.

Алиса пофыркала (помнила старые обиды, и за покойницу-мать еще не могла простить никак), но потом все-таки согласилась. Сначала Галина с Алисой ссорились часто. Но Алиса внешне была копией Галины в молодости — такая же Джина Лолобриджида, красавица. Потом, характеры у внучки с бабкой похожие...

Постепенно, постепенно две эти женщины смирились, привязались даже друг к другу. Ссорились еще иногда, но так, больше для виду шумели.

У Алисы был жених. Галине он не очень нравился, но Алиса бабку приструнила — будешь выступать, уйду, помрешь одна, и квартиры твоей мне не надо.

А потом жених Алису бросил. К тому же внучка оказалась беременной от этого паршивца. И собиралась избавиться от ребенка. Собственно, все правильно собиралась сделать, по-умному.

Но тут с Галиной что-то странное случилось, она сама себя не могла понять. Ночь не спала, лекарства пила от сердца, а утром сказала внучке — оставляй ребенка. Справимся. Я помогу.

Алиса сначала возмутилась, принялась ругаться — да как так, они не вытянут, время-то какое, неохота матерью-одиночкой быть... На что Галина возразила — время всегда неправильное, но что делать.

И Алиса согласилась. Верно, и сама о чем-то таком думала.

Родился мальчик, назвали Павликом. Милый такой.

Галина с правнуком дома сидела, а Алиса работала на трех работах. Ничего, концы с концами сводили, жили даже неплохо.

Галина на старости лет совсем изменилась. Стала удивительно тихой, доброй, всему удивлялась и всех любила. А больше всех она любила Алису и Павлика.

Она дотянула до того момента, когда правнук в первый класс пошел, и лишь потом позволила себе умереть. В гробу она лежала со спокойным, умиротворенным лицом — как человек, который все в своей жизни сделал правильно, избежав фатальных ошибок.

Потом Алиса замуж вышла, и счастливо, муж ее хорошим отчимом Павлику был. Алиса часто вспоминала о бабке, и только хорошими словами.

ЧУЖАЯ

Её звали Лидией.

Лида. Ли-доч-ка... Если воспользоваться сравнениями классика, это «Ли-доч-ка» — тоже напоминало конфетку-карамельку, которая сначала тесно прилипает к нёбу, а затем мягко, с едва слышным чмоканьем отваливается сама, падает на язык и растекается теплым сиропом по вкусовым сосочкам.

Слишком сладко, непереносимо сладко.

Егор увидел ее на улице, летом. По противоположной стороне шла девушка, очень молоденькая и очень хорошенькая. Именно очень хорошенькая, но никак не красавица — потому что внешность незнакомки была весьма далека от журнальных канонов красоты.

Невысокая, пухленькая, с круглыми ручками и ножками, в пестром платье с рюшками и воланами, которое одновременно и портило ее фигуру и добавляло определенной пикантности, со светлыми кудряшками до середины спины. Этакая смесь пошлости и соблазна в каждой детали, но соблазна невинного, бессознательного, девичьего...

Егор увидел ее и мгновенно, даже не дав себе и секунды на размышление, под автомобильные сигналы, визг тормозов и ругань водителей — перебежал дорогу. Позже он сам удивлялся своему спонтанному решению и сделал вывод — его тело среагировало на Лиду быстрее, чем его мозг.

А потому что — хорошенькая. Очень хорошенькая. Она — конфетка. Нет, она — цветок, полный нектара, а он — трудолюбивый шмель. Надо скорей спикировать, упасть в эти свежие лепестки, вцепиться в золотистую сердцевину и выпить сладкий сок до дна...

— Девушка, я хочу с вами познакомиться. Я — Егор. Вот мой паспорт. Я не маньяк и не преступник, я честный человек.

Она испуганно шарахнулась от паспорта, который Егор сунул ей под нос, налетела спиной на какого-то мужика — тот шел, уставившись в экран телефона, и чуть его не выронил. Мужик заорал гневно, Егор подхватил девушку за локти и, вальсируя, свернул с незнакомкой за угол дома, подальше от толпы.

— Простите, что напугал. Вы в порядке?

Она смотрела снизу вверх и молчала. И пунцовые пятна горели на ее щеках. Это, кстати, были ее особенности — от смущения, испуга и любого волнения она краснела, а также — не сразу находила нужные слова, если что-то происходило внезапно.

Наконец она пришла в себя, облизнула губы и произнесла растерянно:

— Ой. А вы... чего?

— Я — Егор. Мне двадцать девять лет, я москвич, холост, детей нет, без вредных привычек, у меня высшее образование, я сейчас работаю в конторе, где про-

ектируют промышленные вентиляторы... Хочу познакомиться.

Обычно Егор знакомился с девушками не так. Поизящнее, что ли, с выдумкой, а тут решил выложить все «в лоб», потому что с такими наивными созданиями иначе и нельзя.

И не ошибся. Незнакомка была буквально обезоружена этой прямотой. И пролепетала малиновыми пухлыми губами, которые хотелось попробовать на вкус:

— А я — Лида...

Вот так они и познакомились. Он пошел ее провожать. На прощание все-таки осмелился, потянулся с поцелуем, но Лида испугалась, оттолкнула.

Вечером Егор ей звонил, потом на следующий день тоже. Целую неделю перезванивались, после Егор пригласил Лиду в кино. Ей, кстати, было девятнадцать — ровно на десять лет моложе. Училась на втором курсе медицинского института, собиралась стать педиатром. Тоже из приличной московской семьи.

На свидание Лида явилась в желтом сарафане. Июль, жара за тридцать. После кино пошли по бульварам. А на нее как начали садиться мелкие какие-то мухи... Вероятно, привлеченные ярким желтым цветом. Или запах ванильных духов Лиды их соблазнил? Егор смеялся и стряхивал букашек с ее спины и подола. Потом повернул девушку к себе и принялся целовать. Она ответила на поцелуй, но потом, видимо, смутилась, покраснела, опять оттолкнула...

— На нас же все смотрят! — простонала она.

Но Егора это еще больше раззадорило.

Он ничего не мог с собой поделать — ему постоянно хотелось целовать и обнимать Лиду.

В понедельник они ходили в кафе, в среду встретились, потом Егор пригласил ее к себе, а там все и случилось. Еще через две недели он сделал девушке предложение, поскольку совершенно собой не владел.

Родители Лиды, люди очень добрые и простодушные, были не против, а вот мама Егора, жившая отдельно, с отчимом, пришла в отчаяние.

— Ты что творишь? — сказала она сыну, тет-а-тет, после знакомства с Лидой. — Вроде взрослый уже мужик... Она же не пара тебе.

— Почему не пара?

— Ты энергичный, умный, перед тобой будущее. А она — классическая дурочка, и никакое высшее образование ее не спасет. Кисель. Тургеневская барышня. Это болото какое-то, а не семейная жизнь у вас будет!

— Ничего-ничего, мама, я из нее человека сделаю. Будет у меня бегать, прыгать, крутиться...

Но бегать и крутиться Лида не любила. А что она любила? Она любила спать в выходные до полудня, любила мятные ликеры и пломбир, любила кино про любовь и детективные романы. Она всего и всех боялась — машин, шумных компаний на улице, больших собак... даже до смешного доходило. Например, испугалась как-то открывать дверь сантехнику — тот показался ей в «глазок» маньяком. Пришлось Егору самому вечером разбираться с подтекающим краном. И Лида была абсолютно беспомощна в быту, избалованная своей добросердечной мамашей. Готовила молодая жена скверно, с продавщицами и кассиршами в магазине спорить не умела и потому часто возвращалась домой без сдачи, с просроченными покупками...

Но именно эта беспомощность, это вечное состояние жены «не от мира сего» почему-то ужасно возбуждало Егора. Он хотел Лиду почти постоянно, он не давал ей спать ночью, и днем тоже... Жена проходила мимо, а он хватал, прижимал ее к себе и — брал, иногда несмотря на ее сопротивление, впрочем, весьма формальное. Ей было проще согласиться, чем отказать.

Кожа у Лиды была нежной — оттого постоянно синяки и красные пятна на ней от его поцелуев.

Егор и тяготился своей страстью, и радовался — что нашел, наконец-то, свою единственную, которая никогда ему не надоест.

Он командовал Лидой, давал строгие указания — что и как делать дома. Поскольку жена была неумехой, Егору то и дело приходилось помогать ей, выручать из сложных и глупых ситуаций. Он чувствовал ответственность за нее. Господи, Лида без него пропадет же!

Через год Лида забеременела, хотя они предохранялись всеми возможными способами.

— Зачем? — схватилась за голову мать Егора, когда узнала, что скоро станет бабушкой. — Куда вы торопитесь? Пожили бы для себя, осмотрелись бы... Ведь люди не сразу понимают, что подходят друг другу. Для этого надо время — чтобы осознать! Вдруг Лида — не твой человек? А у вас ребенок, и уже ничего изменить нельзя... И потом, какая из нее мать? Ты посмотри —

она ничего не умеет, ничего не знает, ничего не хочет... Надо заводить ребенка только тогда, когда готов к этому.

Мать Егора являлась женщиной сильной, энергичной, самостоятельной. Словом, полной противоположностью Лиды. Когда мать и Лида оказывались в одном пространстве, то ничего хорошего не получалось. Мать наседала, Лида тушевалась и расстраивалась. Потом мать успокаивалась, а тут уж Лида выступала вперед и начинала дрожащим голосом предъявлять претензии. Обиды Лида помнила долго.

Егору было жалко жену, но он чувствовал, что мать права. В результате после всех этих семейных ссор-встреч он нападал на Лиду, отчитывал ее. Лида плакала.

Когда Лида была на пятом месяце, отмечали день рождения матери. Не дома, в ресторане. Тьма друзей и знакомых — матери, отчима... Что там точно произошло, Егор не знал (трепался с друзьями в курилке). А в это время мать с Лидой опять немножко поцапались. Ерунда какая-то. Мать, конечно, выпила чуть, и у нее (как потом стало известно) вырвалось: «Ой, Лидка, нельзя быть такой размазней, Егорка от тебя уйдет рано или поздно!» Подумаешь, ерунда.

— Не обращай внимания, она же выпила. А кто в подпитии не говорил глупостей? — резонно заметил Егор, когда вернулся из курилки и Лида срывающимся шепотом поведала ему о происшествии. — Никогда я тебя не брошу, ты же знаешь. Ты моя дусечка-Лидусечка... — И он, не стесняясь гостей, наклонился и поцеловал прямо в круглый животик.

Но все равно Лида расстроилась, даже разозлилась. Весь вечер просидела надутая, красная, смешная. А когда домой пришли, опять начала причитать, а потом, на все его возражения и увещевания, вдруг гневно выпалила: «Твоя мать — старая сука!»

Егор не выдержал и дал жене пощечину.

Сам не ожидал от себя...

Лида села на диван, совершенно бледная и спокойная. Забормотала странно:

— Я спокойна, я спокойна, со мной все хорошо...

Ночью ее увезли с кровотечением в больницу, но, слава богу, обошлось, преждевременные роды не наступили. И вот именно с того самого момента Егор почувствовал, что он ненавидит Лиду. Любит и ненавидит.

Убил бы жену, а сам потом повесился бы, потому что без нее жить бы точно не смог. Он ее жертва, и он ее палач.

Какое-то безумие...

Кое-как доходили Лидину беременность — на «опасные» темы старались не говорить, никаких контактов Лиды с матерью Егора.

Родился Вася. После родов все было чудесно — месяца два, а потом на Лиду неожиданно напала тоска. Она плакала, молчала, и на лице ее отражалась боль, почти физическая. Откуда эта боль? Ведь ничего не болит, все хорошо, ребенок здоров, муж любит, и все должны быть счастливы... Егор бесился, потом догадался — надо показать жену врачам.

Те-то и сказали, что это не просто дурное настроение, а послеродовая депрессия. Как Егор понял — еще не сумасшествие, но Лиду надо серьезно лечить.

И лечили.

Потихоньку-помаленьку — выздоровела Лида. Сильно помогали ее родители, они как-то с самого начала были на стороне Егора, очень уважали зятя (про пощечину и скандалы в молодой семье они не знали, своими тайнами Лида ни с кем не делилась, скрытничала).

И вроде все наладилось. Даже почему вроде, точно все наладилось! Своего рода медовый месяц. Вася еще не начал ходить, спокойный, веселый, забавный. Лежит себе в кроватке, а в соседней комнате Егор Лиду целует.

Она была так нежна, так хороша... С капельками молока на розовых сосках. Мадонна. Клубника со сливками. Егор даже почти забыл, что когда-то ненавидел ее и один ее вид вызывал у него раздражение.

Несколько лет они прожили в безмятежном спокойствии.

А потом дела у Егора, и без того неплохие, совсем пошли в гору. Завод их стал расширяться, потом от него отпочковался еще один завод, и там Егора назначили большим начальником. Платили много.

А отчего бы им не приобрести квартиру побольше? — решил Егор. И купил квартиру на окраине Москвы. Хоть и далеко от центра, но в районе, считавшемся приличным.

Неизбежный ремонт в новой квартире едва опять не рассорил супругов. Егор видел будущую квартиру

по-своему, а Лида — по-своему. Кое-как договорились с цветом обоев, потом новая морока — мебель
выбирать. У них с Лидой были совершенно разные
вкусы! Егор склонялся к хайтеку, а Лидиному сердцу
был мил Прованс, и все такое деревенское, дачное...
«Лид, ну на хрена нам в городской квартире эти де-
ревянные этажерки, с открытыми полками?! Ты ж все
равно с них пыль не будешь вытирать!» Лида плакала,
Егор орал.

Наконец догадались, не стали изобретать велосипед,
нашли дизайнера и поручили все ему. С трудом обставили квартиру. Оба после ремонта были недовольны
дизайнерскими «находками», но зато хоть друг на друга перестали обижаться.

И вроде опять тишь да благодать наступила.

...В начале зимы Егор вышел утром из квартиры и
встретил у лифта интересную, симпатичную женщину
средних лет. Она улыбнулась и сказала:

— Здравствуйте. Вы из шестьдесят третьей? А я напротив вас теперь буду жить... Меня зовут Светлана.

Егор любезно поздоровался. Пока ждали лифта,
Светлана поведала, что у нее трое детей и наконец-то
они все вырвались из той ужасной, тесной коммунал-
ки, в которой томились раньше. Есть ли у Светланы
муж, Егор из короткой беседы не понял, а спросить не
решился.

Трое детей — это подвиг в наше время. Мужчина
сразу же, с первого мгновения, зауважал новую соседку-
ку, мысленно сравнив ее с Лидой. Жена от одного ребенка чуть не свихнулась, еле выносила, а тут человек

троих себе позволил! И, что приятно, Светлана еще и выглядела превосходно — тонкая, стройная, спортивная, хотя далеко не юная. Огромные серые глаза сияли задором. Не женщина, а ходячий позитив!

Потом-то они с Лидой ближе познакомились с новой соседкой и ее семейством.

Светлане не так давно исполнилось сорок, но выглядела женщина на удивление моложаво, тем более, если в расчет взять еще и троих детей. Старшему ее сыну, Антону — за двадцать, он снимал где-то комнату, учился в институте и подрабатывал. В новой квартире появлялся лишь с короткими визитами. Видный, раскованный, веселый парень. «Пусть сам себе жизнь устраивает, на мать не надеется! — как-то в разговоре обронила Светлана. — Я его в восемнадцать лет за порог выставила. А то что это — у нас до старости мужики за мамкин подол цепляются, противно. Если вовремя парню пинка под зад не дать, он потом навсегда слюнтяем останется!»

Средний сын, Макс, учился в предпоследнем классе, и, судя по всему, его ждала участь старшего брата. Восемнадцать лет исполнится, и тоже получит свой пинок под зад. Но Макса это не пугало, скорее наоборот, он так и рвался сбежать на свободу. Если Антон был видным, то Макс — самым настоящим красавцем. Он снимался в молодежном сериале и часто пропадал на киностудии. Танцевал, пел, мечтал сыграть главную роль в каком-то мюзикле, собирался поступать в театральное... Девчонки за Максом табунами буквально бегали. Учился в школе Макс из рук вон плохо, но, как ни странно, учителя его все равно обожали. Он мог обаять кого угодно.

Младшенькая — Нюша. Ей 12 лет было. О, не девочка, а ураган. Ничего не боялась. Могла за себя постоять и кого угодно заговорить. Командовала всеми вокруг, кроме матери. Тут уж Светлана дочери волю не давала.

Все дети Светланы, как на подбор — горластые, красивые, коммуникабельные и, как принято говорить, — «социально адаптированные». На них хотелось любоваться. И даже — «в них видится будущее страны» — как-то заметила мать Егора, когда отмечали новоселье и пригласили на него семейство Светланы...

Кстати, трое ее детей — от разных мужей были. «Рожала от всех, кого любила!» — со смехом, без всякого смущения, признавалась соседка. И без смущения делилась подробностями — токсикозами никогда не страдала, рожала легко («сама не заметила, как выскочил (выскочила)!»), кормила и выхаживала детей тоже без проблем... Про депрессии Светлана и слыхом не слыхивала.

Легко влюблялась, легко расходилась с мужчинами, когда видела, что отношения портятся. И в том особый смысл был — получать от жизни самое приятное и избегать всего темного, мрачного, давящего на душу.

Светлана вообще все делала легко, не напрягаясь. Быстро. Помощи ни от кого не ждала. Раньше у нее свой магазинчик был, потом Светлане это надоело, и по знакомству она устроилась риэлтером. Предлагала богатым господам элитное жилье. И делала это столь успешно, что и себе на квартиру смогла заработать.

Лида, с ее проблемами, страхами, вечным беспокойством и надуманными трудностями — поразила Светлану.

— Егорка, если я ее стану опекать, ничего? — как-то утром, опять перед лифтом, спросила Светлана своего соседа.

— Конечно, ничего, — ответил Егор. — Только рад буду.

Жена как раз заканчивала медицинский и чего-то мудрила с этими интернатурами-аспирантурами, не могла определиться со специализацией, тихо конфликтовала с кем-то из своих преподавателей и, ко всему прочему, зачем-то увлеклась биохимией.

Егор надеялся, что Лида, наконец, закончит с обучением, растянувшимся на долгие годы и прерванным «академом» по уходу за Васькой, пойдет на работу, и все более-менее устаканится в их жизни. Деньги Егора совершенно не волновали, тут в другом дело было. Чем больше Лида металась, тем больше переживала.

Вот так Света вошла в их семейную жизнь и стала чем-то вроде близкой родственницы, старшей сестры Лидочки. Помогала той советами, направляла.

Надо сказать, что Васька тоже рос не особо общительным, замкнутым. Он дико контрастировал с детьми Светланы, открытыми миру, и это даже пугало Егора. Кого они с Лидой воспитали? Почему у них не получилось вырастить настоящего парня, лихого и яркого, которому море по колено — подобного Антону или Максу?

Их Вася получился самым настоящим «ботаником». Ему на следующий год в школу, а он совершенно не готов к жизни среди людей, пусть и вундеркинд... Сидит у себя в комнате, книжки читает. Отчего Васька нелюдимый, замкнутый? И на ребенка-то не похож...

И вообще, это вина Лиды. Он же, Егор, круглыми сутками на работе. И вина родителей Лиды, которые избаловали свою дочь.

И вновь раздражение, ненависть охватили мужчину. Он любил жену, любил сына, но вовсе не такими хотел видеть своих близких.

Иногда возникала мысль — он ошибся. Промахнулся. Зря тогда перебежал дорогу. Ведь Лида — не его женщина. Она хорошая, милая, она полностью устраивает его в сексуальном плане, но она — не его. Ну ладно, перебежал, повелся на девичьи прелести. Но и в этом случае можно было не наломать дров! Надо было ограничиться коротким романом, взять от этих отношений самое лучшее, самое сладкое и — расстаться. Чтобы ни она с ним не мучилась, ни он с ней.

Окончательное прозрение наступило летом.

Как-то утром Егор опять столкнулся со Светланой у лифта. Она сообщила, что пойдет в эти выходные с Нюшей и Максом в парк, кататься на роликах. (Антон уехал в Анталью, там все лето собирался работать аниматором. И работа, и отдых!) Светлана позвала с собой семью соседей.

— Обязательно пойдем! — горячо согласился Егор.

Этим вечером он по дороге домой заглянул в спортивный магазин, купил самую лучшую экипировку для катания на роликах — себе, Лиде, сыну. Сам он катался когда-то, но потом перестал, поскольку Лида считала этот вид спорта опасным. Раз она не катается, то и он коньки забросил.

Но сколько можно бояться? И Вася растет неспортивным мальчишкой...

В голове у Егора крутилась красивая картинка — он, Лида и сын едут по аллее, держась за руки, и весело смеются. Это же здорово, когда семья проводит так свой досуг!

На деле все иначе получилось. Лида, когда узнала, что ее на ролики хотят поставить, отказалась категорически.

— Но ты попробуй! Хотя бы просто попробуй! — умолял ее Егор.

— Я упаду, я что-нибудь себе сломаю, — в отчаянии отнекивалась Лида. — Я же такая неуклюжая, и без коньков на ровном месте могу споткнуться!

— Я обещаю — я тебя буду держать за руки.

— Мы вместе тогда упадем!

— Ничего. Не разобьемся, на нас «защитки» будут, и шлемы я всем купил, — уговаривал Егор.

В субботу отправились в парк. Светлана с дочкой, Нюшей, катались великолепно, и, причем, без всяких «защиток». Макс так вообще чудеса экстрима показывал... А вот Лида перепугалась, когда встала на ролики. Ковыляла вокруг скамейки, морщилась, злилась, шла красными пятнами. Потом вдруг плюхнулась на скамейку и заплакала.

— Ну ты чего? — расстроился Егор.

— Езжайте, езжайте, я посижу, — замахала руками Лида. Ну что ж, ее дело. Сколько можно уговаривать.

Егор взял Васю за руку, повез по аллее. Но Вася то и дело оглядывался на мать. Покатавшись немного, запросился обратно. Сел рядом с Лидой, которая к тому времени уже успокоилась, положил ей голову на плечо.

И это его семья...

Егор пришел в отчаяние.

Но, на счастье, тут подъехала Светлана, потащила за собой. Нюша с визгом погналась следом, потом мимо лихо промчался Макс. Они катались вчетвером, хохоча и гикая — младшие и старшие, и это был такой восторг!

Потом пошли есть шашлыки в летнем кафе. Вроде все хорошо. Но Васька напился ледяной газировки, и его вдруг начало тошнить. Опять не то...

Светлана помогла Лиде с Васей, потом сказала со смехом, с нотками удивления и досады:

— Да что ж вы такие все нежные-то, у меня никогда детей не тошнило!

Словом, выходной удался лишь отчасти. Потом, дома, Лида призналась, что ей было стыдно.

— Светлана такая спортивная, подтянутая, а я... Я на ее фоне смотрелась ужасно.

— Лид, никто не мешает тебе заниматься спортом, — возразил Егор.

— Хорошо. Давай только вместе. Без них.

— Лид... А ты о сыне думала? Ты его совсем затворником хочешь сделать?

— Ему тоже было неприятно. Над ним Нюша смеялась.

— О господи, Лида, ну и что! Он должен сопротивляться, противостоять, уметь общаться с другими людьми!

— Я не хочу больше с ними встречаться, — упрямо твердила Лида.

Егор ночью не мог спать от ненависти к жене. Она чужая. Какая же она чужая...

В воскресенье приехала теща, и Лида вместе с матерью и Васькой ушли гулять.

В дверь позвонили. Светлана.

В джинсах, майке, загорелая, улыбающаяся. Тонкая и звонкая. На сколько лет старше Егора и, тем более, Лиды. Мать троих детей, которая их одна воспитывает. А вот поди ж ты — все равно лучше всех.

— Мои ушли, — сообщил Егор. — Проходи, я тебе соку налью.

— Как Вася? Здоров?

— Да.

— А Лида? Мне показалось, она вчера была не в настроении...

— Не обращай внимания, — усмехнулся Егор. Волосы у Светланы были короткие, в тон имени — снежно-белого цвета, кончики чуть топорщились вверх. Морщинки возле губ и сияющих глаз. Плечи — мосластые, немного мальчишеские, с выделяющимися мышцами, но такие милые.

Сам не понимая, что делает, Егор повернул Светлану к себе и поцеловал. Она ответила на поцелуй сразу, не раздумывая. И все случилось тут же. Сразу, быстро, без всяких там раздеваний.

...Она ушла, а Егор остался один, с бешено бьющимся сердцем.

Вечером он сказал жене, что пошел в магазин, а сам заглянул к соседям. Макса и Нюши не было. И опять повторилось.

Потом... Все завертелось со страшной скоростью. И события складывались так, будто сам бог любви покровительствовал Светлане и Егору, постоянно предоставляя им время и место для свиданий.

* * *

Сначала Лида решила, что это ей только кажется. Она ведь такая мнительная! Нельзя подозревать мужа без причины. Или... можно? Ведь то, как Егор со Светланой глядели друг на друга, с какими интонациями говорили между собой — значило только одно.

У мужа с соседкой был роман. Именно роман, уже далеко зашедший, а не влюбленность, не взаимная приязнь... У этих двоих — все очень серьезно.

Полгода назад Лида, не слишком общительная, тем не менее легко подружилась с соседкой, позволила мужу общаться с той. В самом деле, разве можно ревновать мужа к женщине, которая на пять лет старше его и ровно на пятнадцать — старше ее, Лиды? К тому же у Светланы — трое детей. Глупо ревновать мужа к немолодой многодетной тетке.

Но чем дальше, тем сильнее сомневалась Лида в своих выводах.

Да, соседка старше. Да, трое детей у нее. Но при этом Светлана еще чертовски соблазнительна и симпатична!

Когда Лида осознала все это, было уже слишком поздно. Лида стала следить за мужем, чего не делала никогда, и довольно скоро убедилась, что ее подозрения имеют под собой почву.

Егор ходил к Светлане. А поскольку двое младших детей соседки дома почти не сидели, то Светлана с Егором оставались одни. На людях — эти страстные взгляды, словно случайные прикосновения, эти нежные полуулыбки, прерывистое дыхание...

Первая мысль у Лиды была — умереть.

Потому что терпеть эту боль было невозможно. Ее муж, ее Егор... Он изменил! Потом у Лиды родилась странная, совсем безумная мысль — вместе с Васькой спрыгнуть с балкона. А что, после знакомства с соседкой муж вечно сравнивал сына — и детей Светланы. А значит, они оба — Лида и Вася — для Егора недостаточно хороши. Ладно, тогда она возьмет Ваську на руки и сиганет с их шестнадцатого этажа. Чтобы вдребезги. Чтобы потом Егор всю жизнь мучился и казнил себя...

Но, к счастью, безумные, страшные эти мысли скоро покинули Лиду.

Вместе с болью Лида теперь чувствовала и гнев. Она накажет мужа иначе. Она уйдет от него вместе с Васькой. Новую квартиру делить не будет, от алиментов откажется. Ни-че-го просить не станет. И именно это больнее всего ударит по праведнику Егору.

Решение было не из легких. До этого момента Лида не мыслила своей жизни без мужа. Ведь тогда она будет главной в их семье, она будет принимать решения — за себя и за сына. И за стареньких уже родителей.

А что делать с собственной жизнью? Все последнее время Лида обдумывала одно очень важное решение. Она вдруг поняла, что работа практикующим педиатром — в больнице или детской поликлинике — совсем не ее.

Ее тянула к себе наука. Дело в том, что у Лиды был когда-то старший брат. Он умер во младенчестве, когда ему не исполнилось и полугода. СВДС — синдром внезапной детской смерти, или, как его еще называют — «смерть в колыбельке». Беспричинная совершенно смерть, непонятная до сих пор медицине!

Родители были шокированы тем случаем и тряслись потом над Лидой. Но и в Лиде проснулся тот же самый страх, когда она родила Ваську. Она спать не могла, сидела возле его кроватки ночами. Ведь в возрасте с двух до четырех месяцев (приблизительно) — СВДС случается с некоторыми детьми. Возможно еще, что синдром внезапной смерти передается по наследству. А вдруг и с Васенькой случится такое?! У Лиды тогда началась депрессия… Конечно, со временем депрессия отступила, Васька вырос, преодолел опасный период, но желание — спасти всех детей, предотвратить эту страшную, непонятную напасть — осталось в Лиде.

Она занялась исследованиями, увлеклась смежными с педиатрией дисциплинами. Один из ее преподавателей считал увлечение СВДС — блажью, другой горячо поддержал Лиду и обещал, что скоро, возможно, удастся открыть лабораторию, в которой будут работать над данной проблемой. И с помощью специально созданных тестов, анализов можно будет выявить тех детей, что в группе риска. И главное — удастся, наконец, разобраться с этим механизмом, что «выключает» младенческие жизни...

И тут Егор с этой Светланой! Простить? Забыть? Оставить все как есть, сделав вид, что она ничего не замечает?

Нет. Она, Лида, так не может. Пусть это сто раз неправильно, пусть все статьи в Интернете призывают к тому, что надо бороться за собственного мужа. Но Лида так не могла.

Прощать и легко забывать — она не умела. Матери Егора Лида так и не простила тех слов, что свекровь когда-то наговорила ей во хмелю. Много чего та тогда вывалила на Лиду, Егору был представлен лишь лайт-вариант той беседы.

Лида не ожидала, что муж ударит ее, беременную, даст пощечину. Егор, наверное, и сам от себя не ожидал... Больше такого не повторилось, он никогда не поднимал руку на жену и вообще, если до конца быть честной — хорошим, добрым человеком, любящим мужем был. Но простить, забыть тот случай?..

И эта Светлана теперь. Первое время она тоже нравилась Лиде. Потом молодая женщина заметила, что соседка слишком часто заглядывает к ним. При всей своей миниатюрности Светлана умела занять собой все пространство — чтобы слушали только ее, чтобы ею восхищались. Конечно, на фоне этого «солнца» сама Лида померкла.

«Никого нельзя впускать в семью. С осторожностью — близких людей, а чужих, с их советами, замечаниями, сравнениями, тем более — нет, нет, и нет!» — с опозданием осознала Лида.

Они ведь в последнее время с Егором часто спорили из-за Васи, спорили о том, что есть правильное воспитание. Муж был в восторге от «методов» Светланы, сумевшей вырастить столь ярких личностей. Лида же говорила, что воспитания никакого не было, соседка жила, как бог на душу положит, и то, что дети у нее выросли благополучными, — просто удача, а не верный расчет.

«Ага, целых три раза Светлане подфартило!» — ехидно возражал жене Егор.

«Да. Да! Ведь ты сам видишь, что характеры у всех ее троих детей — в принципе одинаковые. Они все у нее открытые, любящие общение... Они все — экстраверты, в конце концов. Они сами, слышишь ты — сами! — рвутся на публику, обожают быть в центре внимания, ничего не боятся. Светлана их вообще не воспитывала, она всем детям предоставила свободу. И этот ее пинок под зад пресловутый... Да ее мальчишки сами на свободу рвутся, попробуй их удержи! То, что люди считают заслугой Светланы, на самом деле — дар. Как и ее здоровье, как и ее внешность, кстати. Это все она получила от природы. Или свыше... Но вот воспитания, как такового, у ее детей и не было!»

«Зато мы Ваську воспитываем — просто блеск!» — продолжал иронизировать Егор.

«Я не верю в воспитание. Каким человек родился, с каким характером, таким и проведет свою жизнь, — спорила Лида. — Характер, темперамент — это все врожденное, генетически обусловленное. Можно лишь чуть подкорректировать поведение ребенка, но изменить его — нельзя».

Еще Лида твердила мужу, что в другой семье при тех же принципах (полная свобода, а в восемнадцать — «пинок под зад») в жизнь выходят часто неприкаянные, несчастные люди. Выживают — сильнейшие при подобной системе. Все остальные — гибнут. «И еще неизвестно, что будет с Нюшей, когда она вырастет. Неужели Светлана и с ней так поступит? — возражала Лида. — Ведь выгнать из дома восемнадцатилетнюю девчонку — это значит толкнуть ее не пойми на что... Пусть там, на западе, практикуют эти методы, у нас в стране не каждый подросток сможет справиться со всеми трудностями, которые поджидают его на каждом углу!»

Сама же Лида не могла представить, что даст когданибудь Ваське «пинка под зад». Нет, пуповину резать надо, но не так грубо, не так безжалостно — вытолкав в жизнь и наблюдая со стороны — выплывет дитя или нет?.. Она бы не простила этого собственным родителям, если бы те поступили с ней в юности подобным образом. Вот и Вася — такой же.

«Егор, нет абсолютно верных методов воспитания, понимаешь? Для какого-то ребенка с его особым характером, его особенностями эта спартанская система явится панацеей, но другого — убьет. Это как с лекарствами... Обязательно надо учитывать противопоказания. Я тебе как врач говорю!»

Но Егор только злился, отмахивался, ибо перед его глазами вечно мелькали дети Светланы, улыбчивые и раскованные. Егор сердился на Ваську, а тот замыкался все больше. Получался заколдованный круг.

А тут еще эта измена...

И в один прекрасный день Лида собрала вещи — свои и ребенка — и ушла из дома. Первое время она жила у знакомых — там, где Егор не мог найти их, потом, когда наступила осень — перебралась с сыном к родителям.

К тому времени Егор уже не предпринимал никаких попыток встретиться с женой и сыном.

* * *

Это был удар под дых. Жена даже не стала говорить с ним, просто ушла в его отсутствие. Переговоры с родителями Лиды ничего не дали. Они, при всей своей мягкости и добродушии, были полностью на стороне дочери. Лида хотела, чтобы Егор ее не нашел — значит, Егор и не найдет ее.

Вот так она с ним, Лида.

А чего он ждал?

Егор не задумывался об этом, просто плыл по течению.

Но раз Лида все решила за них троих (включая Ваську), то Егор открыто сошелся со Светланой.

Теперь они с соседкой жили в квартире Егора, а дети Светланы — в квартире напротив. Поначалу Егор мучился, но его новая подруга, полная планов и проектов, заставила мужчину забыть обо всем.

Они со Светланой поехали в Таиланд. Потом ремонтировали дачу Светланы. Потом Макс и Нюша тоже переселились в квартиру Егора, а в квартире Светланы затеяли ремонт. Потом Егор помогал Максу с ЕГЭ. Репетиторы репетиторами, а, как выяснилось, терпеливый и спокойный Егор лучше всех репетиторов мог объяснить Максу основы алгебры и начала анализа.

Потом ураган Нюша побила какого-то мальчика в школе, причем умудрилась сломать этому мальчику руку. Побила-то его Нюша за дело — наглец оскорбил девочку, но родители парня не хотели спускать дело на тормозах, затеяли суд. Пришлось Егору вмешаться. Они с Лидой еще не развелись, а он на всех встречах с оскорбленными родителями, в школе и в судах — выступал уже как «отец» девочки.

Далее старший сын Светланы, Антон, скоропалительно женился. Хозяева его выставили из комнаты в коммуналке. На время до родов юной супруги Антон с ней поселился у матери.

Не выгонять же молодых?

Наконец, Антон нашел хорошую работу и снял уже отдельную квартиру. Молодые съехали, и Егор со Светланой отправились на Гоа.

Дела у Егора становились все лучше, его повышали и повышали... Это была веселая, безумная в хорошем смысле, наполненная событиями, поездками и встречами жизнь.

Светлана ничем не напоминала Лиду — самостоятельная, не боящаяся принимать жесткие решения, энергичная, азартная даже. Каталась на роликах, соревнуясь с детьми, зимой — на горных лыжах, постоянно посещала фитнес-центр и бассейн. Она не мучилась рефлексиями, не переживала из-за ерунды. Обожала кафе и рестораны, клубы — словом, все те места, где надо было находиться все время «на людях».

Если Лида — жена-девочка, о которой надо вечно заботиться, тихоня-затворница, то Светлана — жена-друг, жена-партнер. Открытая миру. Равная. Хотя от помощи не отказывалась.

Мать Егора его новую подругу обожала. Они в чем-то даже похожи были со Светланой... «Пусть она старше, но Света — ровня тебе, Егор. Я прямо на вас двоих не нарадуюсь! Лида была чужая, а Светочка — своя в доску. Она мне как родная».

Большинство друзей и коллег сначала неодобрительно отнеслись к тому, что Егор бросил Лиду, но потом, когда узнали, *ради кого* он это сделал, — многозначительно и удивленно хмурились, затем одобрительно кивали. Значит, это настоящая любовь. Если новая избранница — старше и с тремя детьми. (А ненастоящая — это когда семью бросают ради молоденькой фифы. Позор тем кобелям-мужикам!)

* * *

Прошло полтора года с тех пор, как Егор расстался с женой. Он старался как можно реже вспоминать Лиду и сына, поскольку воспоминания эти приносили смешанные чувства — нежность и раздражение. Сожаление и облегчение. Ненависть и любовь.

Он пересылал деньги им (не чужой же), но каждый раз все его переводы возвращались обратно. И это еще больше раздражало Егора — вот она какая, Лида... Дикая и мстительная. Упрямая. О ребенке бы подумала, на него бы деньги потратила! Но нет. Изуверка, фанатичка. Чокнутая.

А каково сыну без отца расти... Тем более, с таким сложным характером, как у Васьки!

Однажды, в конце весны, Егор, выруливая на своем авто по кривым московским переулкам, затормозил у пешеходного перехода, пропуская младших школьников. Смешные, с тяжелыми ранцами и рюкзаками, дети шли гуськом, учительница командовала процессией...

«Совсем мелкие. Первоклашки, что ли? А Ваське тоже скоро в первый класс, осенью», — подумал Егор, глядя на малышей, и сердце его привычно защемило. Лида ведь не позовет его к первому сентября. А потом точно обухом по голове: какой первый класс?! Васька этой осенью должен во второй идти, по возрасту-то!

Егор чуть в голос не взвыл. Забыл... Забыл!

Вернее, не забыл, но в голове у него, как у многих занятых мужчин, обычно царила не то что путаница, а какой-то свой, особый календарь, своя система напоминалок и сигналов. Он был невнимателен иногда —

не от равнодушия, а от того, что время для Егора текло иначе, привязанное не к временам года, а к его личным, рабочим, конкретным каким-то делам...

Поэтому мысль о том, что он не проводил единственного родного сына в первый класс, буквально сразила Егора. Получается, что он забыл обо всех важных событиях и прочих праздниках (раньше обо всем этом напоминала Лида). А значит он — негодяй.

Чувство вины в Егоре было чрезвычайно сильно развито.

Этим же вечером он поехал в тот район, где жили свекры, и Лида с сыном, соответственно. Звонить заранее Егор не стал — Лида все равно на звонки не отвечала.

Когда ехал мимо метро, ближнего к их дому, автомобили встали в пробке. Надолго, судя по всему. Ничего не поделаешь.

Егор от нечего делать принялся разглядывать рекламную вывеску на соседнем магазине, что с противоположной стороны дороги. Там по тротуару, от метро, шли люди плотной толпой — час пик. Ни пройти, ни проехать...

И вдруг взгляд Егора выхватил из толпы одну фигуру.

Молодая женщина, очень хорошенькая. Худенькая, сутулая. Идет, опустив голову. Егор дернулся, чуть не вырвал ручку дверцы, пытаясь выскочить наружу, но вовремя опомнился — мимо, по встречке, в центр, летели машины.

Лида. Это была она. Все то же растерянное, печальное, не от мира сего, наивное лицо... Но почему такая худенькая? И все равно хорошенькая, потому что от каждого ее движения дрожит сердце и хочется обнять ее, прижать к себе...

Наверное, она нравится ему любой — краешком сознания догадался Егор. Тоненькой или пухленькой. Юной или когда в годах уже будет. Потому что в Лиде что-то особенное есть, отчего Егор узнавал ее везде, всегда. Выхватывал взглядом в любой толпе...

Справа, на встречной полосе, тоже образовалась пробка. Поток машин перекрыл обзор.

Егор сидел ошеломленный, не понимая, что же такое произошло, почему он столь бурно отреагировал на появление Лиды. «Она похудела. Грустная. Значит, переживает. Из-за меня переживает!» — решил Егор.

Раньше он думал только о том, какая Лида мстительная и злопамятная, но лишь сейчас осознал, что жена его, наверное, переживала. Тем более если она всегда и из-за всего волновалась. А тут, наверное, вообще чуть с ума не сошла, когда узнала об измене мужа... Ей же было больно, очень больно!

«Ей и сейчас больно», — подумал Егор.

Машины тронулись, пробка, наконец, рассосалась.

Но Егор не поехал вслед за Лидой, свернул в проулок. Он был так ошеломлен своим открытием, что решил прежде подумать. Что надо сделать, что сказать Лиде, чтобы хоть немного загладить свою вину?

Егору немедленно надо было поговорить с кем-то, обсудить все. В первый раз в жизни он не понимал, что ему делать. Но не со Светой же обсуждать? Свете будет неприятно. Егор отправился к матери. Родной же человек, плохого не посоветует... С порога принялся рассказывать матери — как вспомнил о сыне, как увидел Лиду и что Лида похудела, изменилась внешне... И что ей, наверное, больно. А Васька, как ребенок переживающий и слишком привязанный к Лиде, наверное, тоже не в порядке...

Мать выслушала Егора внимательно. Потом сказала:

— А я тебя предупреждала. Какая из нее мать? Она во власти своих чувств, ей на ребенка плевать. Она всегда была странной! А помнишь, как у нее крыша тогда, после родов, поехала?

— Это послеродовая депрессия. Говорят, со многими случается. Это не сумасшествие было, мама! — отмахнулся Егор. Он совсем не этих слов ждал от матери. — Ты лучше скажи, что мне сейчас делать?

— Васеньку надо спасать, вот что, — сурово произнесла мать. — Послушай, мы через суд будем действовать. Надо ее материнских прав лишить.

— За что? — оторопел Егор.

— Ну ты же сам только что рассказал, что она выглядит как невменяемая...

Мать говорила еще — много и возбужденно, но Егор уже не слушал ее. Как это — отнять ребенка у матери? У Лиды — отнять Ваську? Да она умрет... Да это жестоко... Нет, мать не права. Конечно, мать желает добра, но она не знает Лиды, не знает всего.

Егор кое-как дослушал мать, поблагодарил ее за совет, сказал, что подумает, поцеловал в щеку и ушел.

Дома он тем не менее помялся-помялся, но рассказал все Светлане — о том, что видел Лиду, и что ездил советоваться к матери, и о том, что мать ему насоветовала.

— Ну, а ты что об этом думаешь? — спросил Егор, маясь оттого, что и Светлану он «загрузил». Но нет. Светлану «загрузить» невозможно!

— Тебе решать, — спокойно ответила та. — Я в эти дела лезть не собираюсь. И мать твоя хороша — ребенка у живой матери отнимать! А кто его воспитывать будет? Она? Да она и у себя по дому ничего не делает, всеми делами ее муж, твой отчим, занимается... А кто тогда с Васей сидеть будет? Кто? — с нажимом повторила она. — Я, что ли? Нет-нет-нет, я в эти семейные разборки лезть не собираюсь, благими намерениями — знаешь, куда дорога устлана? Ты мужик, ты его отец, ты и думай. — Светлана помолчала, а потом добавила твердо и все так же спокойно: — У меня своих трое детей, милый. Я о них буду думать.

Егор кивнул согласно, больше эту тему не поднимал. Тем более что прежде чем что-либо предпринимать, надо было встретиться с Лидой и Васькой, посмотреть на них. Может, не так все и плохо у них. Эх, зря он всех переполошил...

На следующий день, в первой половине дня, мужчина отправился к свекрам. К счастью, те дверь ему открыли, впустили. Выглядели недовольными, тоже мялись, вздыхали, но общения не избегали. Лиды и Васьки не было.

Родители жены рассказали — все нормально, Лида сейчас работает на двух работах, ребенок учится.

Свекор привел из школы Васю.

Тот посмотрел на Егора, позволил ему поцеловать себя, но в остальном вёл себя холодно и отстранённо, на вопросы отвечал односложно. И это родной сын... Хотя чего тут удивительного, он сколько отца не видел!

После трёх появилась Лида. Она не стала возмущаться, увидев мужа, но поморщилась.

— Лида, надо поговорить.

— Хорошо.

Они остались вдвоём на кухне.

— Ты похудела...

Лида нетерпеливо пожала плечами.

— Позволь мне видеться с сыном, — настойчиво продолжил Егор.

— А тебе никто и не запрещал.

— Ты даже по телефону со мной говорить не хочешь.

— Это я с тобой не хочу говорить. Но ты — можешь заходить сюда и видеться с сыном. Звонить ему.

— Почему ты не берёшь деньги? Лучше бы ты на одной работе работала и с Васькой больше времени проводила...

Лида на это ничего не ответила.

— Лида, я знаю, что тебе очень больно.

— Нет, ты не знаешь... — усмехнулась она, покачала головой. Было странно видеть её такой худенькой — впалые щёки, тонкие запястья. Руки и ноги её совсем не казались круглыми. Но всё та же бледная, нежная кожа, угловатые движения... — И не смей мне давать советы.

— Ты злишься... Я виноват.

— Ты не виноват. Ты сам сказал, что я всегда была тебе чужой.

— И я тебе был чужим.

— Это бессмысленный разговор... — опять поморщилась она.

— Ладно, не буду. Но в следующие выходные я хочу видеть Ваську. Мы с ним пойдем в парк.

— Я не против. Только не вздумай... только он и ты. И никаких посторонних лиц. Он их ненавидит.

Лида говорила о детях Светы. И о Свете.

— Я понял, — кивнул Егор, едва сдерживая желание поспорить. Верно, его прекрасная мечта (чтобы Васька и дети Светланы подружились) являлась несбыточной.

...Светлана не была против того, что субботу Егор провел с сыном, но явно заскучала. У нее, такой энергичной, всегда было планов громадье. А тут, получается, все рушилось.

Тем не менее Егор стал каждые выходные проводить с сыном. Чувство вины не давало ему покоя. Только сейчас он осознал — сколько времени он возился с детьми Светланы, а о родном ребенке забыл. А ведь именно Васька нуждался в его любви, а не они.

С финансами у Лиды было туго. Скоро Егор узнал еще и о том, что на одной работе она работает (но известно, сколько медикам платят), а на другой платят чисто символически, копейки, поскольку там — какая-то экспериментальная лаборатория.

«Я дурак. И, главное, это какая-то непроходимая тупость, зашоренность мужская... Деньги-то надо было не Лиде переводами слать, а давать в руки свекрам! И слово с них взять, чтобы Лиде ничего не говорили!»

Пошел к ним. Свекор со свекровью смутились, повздыхали, но от денег — отказались.

Егор опять впал в ступор, но потом его озарило — надо им продуктами, вещами помогать. Тут уж они не отвертятся! Так и сделал. И — получилось. Не смогли свекры отказаться от подарков Егора... А как отказаться, если человек сам ездил, выбирал, покупал?

От всего этого Егору немного легче стало дышать, поскольку он был человеком совестливым. Но главное, ему нравилось заботиться и опекать. И спасать Лиду. Ему, оказывается, до сих пор нравилось все это.

Собственно, и в своих отношениях со Светой он занимался тем же самым — спасал, помогал, заботился... Думал, что нашел свое счастье с равной, а на самом деле — нет.

Но тогда зачем возиться со Светой и ее детьми, если они, в принципе, и сами могут о себе позаботиться? Они чужие, а Васька — родной. Они (Света и ее семья) — из той породы, что ни при каких обстоятельствах не потонут. А вот Лида — буквально без помощи пропасть может... Лида такая нежная, такая чувствительная!

Егора ужасно беспокоила ее худоба. А вдруг она заболела? А вдруг умрет? И ведь это он, подлец, довел ее до такого состояния...

Он очень много времени стал уделять той, брошенной семье.

...Не сразу, но Егор заметил — чем дальше, тем сильнее отдаляется от него Светлана. Нет, она не упрекала его, не устраивала сцен, но она начала откровенно скучать. Они же раньше проводили все время вместе — что-то делали, куда-то ездили, а если делать было нечего, сидели в каком-нибудь ресторанчике и просто болтали, смеялись... Света обожала рестораны и клубы, летние веранды где-нибудь в красивом месте. «Я столько времени провела в четырех стенах, с тремя маленькими детьми, что теперь меня домой не загонишь!» — объясняла она.

Однажды в будни он освободился рано, после обеда. Но, как назло, даже в этот час в центре дороги заблокированы пробками, вся набережная стояла. Решение возникло спонтанно. Егор припарковался в переулке, поднялся по лестнице — на открытую веранду.

Это было одно из любимых летних кафе Светланы — с видом на Москва-реку, на старинные улочки. Мягкие диваны, полотняные занавески, ненавязчивая обслуга... Все небрежно и просто на первый взгляд, а на второй — модное, засиженное иностранцами и московской элитой заведение.

Егор спросил у встретившей его официантки-хостес — есть ли свободный столик? Да, ответила та и повела за собой.

На ходу Егор достал сотовый. «Приезжай, я тебя жду, сегодня рано освободился...» — уже на языке вертелось. Он надеялся порадовать Светлану, которой в последнее время уделял мало внимания.

— Вот, пожалуйста, — официантка указала на свободный столик, под тентом.

Но Егор смотрел на другой столик, тот, что располагался у самых перил. Там, на полотняном простеньком диванчике, полуразвалившись, сидел... нет, лежал? Нет, скорее, вальяжно валялся — пожилой бородатый дядька в льняном мятом костюмчике, с капитанской фуражкой на голове. В одной руке у дядьки была бутылка дорогого виски, а другой он обнимал хохочущую Светлану. Она увидела Егора, широко открыла глаза. Потом улыбнулась.

— Привет, — сказал Егор.

— Привет, — ответила она. В этот момент у нее зазвонил сотовый в сумочке.

— А это я тебе звоню, — сказал Егор.

— А, это ты! — она поднесла сотовый к уху. — Егор, подходи к нам. Как здорово, что ты пришел!

— Сурпрайз! — проблеял дядька.

Светлана вроде как обрадовалась, и дядька в капитанской кепке тоже принялся пороть какую-то веселую чушь, и все на первый взгляд было весело, мило и непринужденно. Нормальные, современные люди. Светлана же не изменяла прилюдно Егору, она просто сидела в кафе с каким-то дядькой...

Дядька, этакий престарелый «анфан террибль», оказался на поверку довольно-таки известным человеком, предпринимателем. Просил называть его Гариком. Он шутил и егозил непрерывно — и Светлана была от нового знакомого в восторге. Оказывается, она на днях помогла этому человеку приобрести квартиру, теперь они вдвоем отмечали выгодную покупку.

Гарик — лет на двадцать старше Светланы, относился к той, как к девочке, Егора же называл «юношей». Посидели, поболтали (Егор отказался от алкоголя, за рулем же), Гарик пил виски — «а у меня шофер, друзья мои, это так удобно...».

— Ты ему нравишься, — позже сказал Егор Светлане, когда они уже вдвоем возвращались домой.

— Ты ревнуешь?

— Не знаю. Но что-то такое чувствую...

— Перестань. У тебя воображение стало, как у твоей бывшей.

«Не у бывшей, — хотел поправить Егор. — Она до сих пор моя законная жена». Но не стал.

...Все произошло само собой, легко и незаметно — Светлана сошлась с Гариком.

Егору какое-то время было больно — но не потому, что его бросили, нет. Он чувствовал себя обманутым. Он чувствовал себя дураком.

Знал ведь, что Светлана — такая. Не плохая, не злодейка, но — слишком легкая. Отчаянная и веселая. Ничего не боящаяся.

То, чем закончатся отношения Светланы и Егора, можно было предугадать. «В сущности, она меня не обманывала. Это я сам себя обманул. Не захотел замечать очевидного. Ведь только с чужими бывает так легко и весело!»

Егор буквально в считаные дни переехал в другую квартиру. Продал старую, купил новую. Не хотел оставаться в том несчастливом доме, рядом со Светланой, ее детьми... С глаз долой — из сердца вон.

Потом, Лида бы в _тот_ дом все равно не вернулась.

А Егор очень хотел вернуть и ее, и сына. Ради них он и затеял этот переезд.

С сыном, кажется, отношения более-менее налаживались. Интересным и странным было примирение отца и сына. Уж сколько Егор его обхаживал, возился с Васькой, таскал по всяким интересным местам, дарил подарки — ни в какую! Перелом в отношениях случился после следующего разговора.

Однажды Вася спросил — любит ли Егор Макса с Нюшей? (Еще до разрыва со Светланой произошел этот разговор.)

Егор хотел ответить что-то правильное, благостное, примиряющее, из серии — нет плохих детей, ко всем надо относиться по-доброму, с приязнью, но в глазах сына было что-то такое... Словом, Вася ждал не долгих нравоучительных рассуждений, а самой сути. И тогда Егор ответил твердо и коротко:

— Нет. Люблю я — только тебя.

Вася задумался, притих. Потом опять спросил:

— Я лучше их?

О, нет, сын не пытался сравнить себя с детьми Светланы, он, кажется, хотел сейчас понять, каким видит его именно Егор, отец.

— Да, — продолжил Егор. — Ты лучше всех. Ты лучше всех детей в мире.

И он сдержался, чтобы не уточнить — «для меня». Каким-то убогим, корявым было бы это уточнение, эта фарисейская, жалкая оговорка.

Вася как будто вздохнул с облегчением. И с того самого момента его отношение к отцу изменилось. Наверное, каждый ребенок хоть раз в жизни должен услышать от своих родителей, что он — самый лучший. Нет, перехваливать постоянно — тоже ни к чему, вырастет эгоист, субъект с завышенной самооценкой, но ребенок в какой-то сложный момент своей жизни обязательно должен ощутить свою ценность, особенность, уникальность. Потому что если ты не испытал на себе в детстве безграничной любви отца и матери — то никогда не почувствуешь себя счастливым до конца. Рай — это не то, что после смерти, и не то, что лишь для избранных праведников. Рай — это детство, проведенное в любви... И жестоко лишать своего ребенка этого рая только из страха испортить его или из желания подстегнуть амбиции ребенка.

Но Егор не солгал. Он и вправду считал своего сына особенным.

Да, Вася не был открыт миру, как дети Светланы, но внутри мальчика шла какая-то постоянная внутренняя работа. И то, что он сумел, в конце концов, простить отца — тому подтверждение.

Итак, к моменту разрыва со Светланой на стороне Егора были уже и сын, и свекры. Потом, разойдясь со Светланой, — Егор и квартиру поменял. Он делал все, чтобы вернуть Лиду.

Лида...

Если и Лида простит его, вернется, то можно считать, что Егор восстановил все то, что сам разрушил когда-то.

Но с Лидой было сложнее. При всей своей внешней мягкости, пугливости, нерешительности — жена Егора не могла забыть его предательства. Лида — злопамятная. Да, это ее недостаток. Могут же у любимой женщины быть какие-то недостатки? Хотя нет. Это не злопамятность. Это другое. Это — обидчивость? Нет, нет, тоже нет... Это, скорее, чрезмерная ранимость. Когда раны, нанесенные жизнью и близкими, заживают слишком долго.

Но Егор был полон энтузиазма, он надеялся, что исправит все, искупит.

Почти каждый вечер в будни хоть на минуточку он заглядывал в дом к свекрам, возился с сыном, приносил все то, в чем, как казалось Егору, его близкие могли нуждаться. Нет, не заваливал роскошными подношениями — но доставлял то, что было насущным, необходимым. Делал что-то по дому — то приколотить, то починить (свекор, в силу возраста и здоровья, уже не в состоянии был прибить покосившийся карниз, например). А Лида вообще с мужской работой «не дружила», хоть и старалась.

Выходные Егор вообще целиком посвящал семье.

А как иначе? Эти люди были его родными. Для кого еще стараться, для кого жить? Теперь главное, чтобы Лида простила его.

Наконец, «не мытьем, так катаньем» — Егор добился своего. Лида сдалась. Она согласилась вернуться с сыном к Егору, в новое жилище.

Это был торжественный день. И свекры ужасно радовались, что молодые помирились и сошлись снова, наконец, и Васька ликовал... Но вот Лида выглядела какой-то потерянной, словно ее вынудили.

Да, они с Егором снова зажили под одной крышей, и даже близость у них была, но Егор чувствовал, что жена так и не смогла до конца простить его.

Эти раны, что он, муж, нанес ей когда-то, — до сих пор кровоточат. А вдруг они и не заживут никогда? И будут кровоточить — до самой смерти? С Лиды станется... И в них, в эти раны, до бесконечности можно будет вкладывать пальцы, чтобы убедиться — не заросло. По-прежнему больно.

Вот какая она была, Лида, его жена.

Сложная. Странная. Непонятная.

И все равно — самая родная, самая любимая.

* * *

Это был обычный день начала сентября, когда в городе стояло бабье лето. Тепло, ясно, листва еще не опала и переливалась на солнце яркими красками... Чудесное время. Жить бы да радоваться. Можно прогуляться по центру или съездить всей семьей в парк. Можно смеяться, любить — в унисон с царящей вокруг гармонией.

Но внутри себя Лида никакой гармонии не ощущала.

Она только что вышла из лабораторного корпуса...

Да, кстати, она последовала совету Егора — оставила работу в городской поликлинике и теперь занималась только научными исследованиями. По-хорошему, Лида сама об этом мечтала. Это же здорово — целиком отдаться своему главному делу, полностью сосредоточиться на нем. Тем более, что Егор прилично зарабатывал, и финансово их семья никак не страдала от увольнения Лиды с одного места.

Итак, Лида шла в направлении к метро и думала о том, что теперь она полностью зависит от мужа. От человека, к которому она испытывала... что?

«Господи, да я сама не знаю, люблю я его или ненавижу!» — подумала Лида, подходя к вестибюлю одной из центральных станций метро. Егор, кстати, давно предлагал жене купить машину, но Лида отказывалась. Она панически боялась водить, да и зачем? Все равно лаборатория в центре, а тут пробки на дорогах — круглосуточно. Это у Егора его завод за МКАД располагается, естественно, что мужу на своих колесах удобнее...

Вот и сейчас улицы были забиты машинами! Зато в метро еще относительно свободно.

Лида ступила на эскалатор, и тот плавно стал затягивать ее в подземелье.

«Егор, конечно, хороший человек, — сама себя уговаривала Лида. — Хороший муж и отец. Просто он совершил плохой поступок. Но сам Егор — все равно хороший!»

К слову о плохом поступке... Смешно. Когда окружающие узнавали, что ее муж ушел не к молоденькой любовнице, а к даме в возрасте, да еще с тремя детьми — то как-то задумывались, не спешили осуждать Егора. Бормотали: «О, ну что, тогда это, наверное, настоящие чувства...» Словно возраст и дети были индульгенцией для Светланы и для влюбившегося в нее Егора...

Но это же глупо! Предательство и есть предательство, и не имеет значения — молода любовница или стара, красива или безобразна, есть дети у нее или нет. Полюбил ее всерьез или увлекся на короткое время. НИЧЕГО не имеет значения, ничего не может служить оправданием. Предал, и все тут. Предал, предал, предал!

Ужасный поступок. Но он, Егор — хороший человек. Но он предал, и потому простить его нельзя...

Лида об этом думала постоянно. Она ненавидела мужа и любила его. Она хотела его простить и — не могла. Как не могла ему простить той пощечины, которую он дал ей во время ее беременности.

Вот точно так же она не могла простить матери Егора того разговора в ресторане, после которого и произошла та ужасная история с угрозой выкидыша.

Его мать. Его мать всегда была против невестки. А как свекровь скривилась, когда после долгого перерыва вновь встретилась с Лидой, в новой уже квартире... И потом еще несколько раз поминала Светлану — какая та милая да славная... Ведь знала же, что Лиде неприятно слышать о бывшей сопернице!

...В вагоне было относительно просторно, хотя все сидячие места заняты. Лида осталась стоять у тех самых дверей, через которые вошла в вагон, прислонилась к ним спиной. Несколько молодых мужчин дремали неподалеку.

С чего им уступать Лиде — молодой, здоровой на вид? Да она и не хотела сидеть. Но вот Егор — тот всегда уступал женщинам (в общественном транспорте, когда приходилось иногда ездить на нем, в очередях в поликлинике, еще где), вне зависимости от их возраста. Таким вот он поведением отличался, старомодно-галантным. Хотя нет, если точнее — непреклонно-рыцарским...

Лида стиснула зубы, чувствуя, что слезы опять близко. И, словно добивая себя, вспомнила вот еще что — Егор любил ее, Лиду, в любом виде. Полной или худой. С макияжем или без. В вечернем платье или домашнем халате. Нет, ему было не все равно, как она выглядит, но он любил ее — всякой. И беленькой, и черненькой.

И это значило, что нет мужчины лучше его, преданней. Все остальные — не то, не то, не то. И лишь Егор — то. Он предал, но он все равно — самый преданный. Так почему же не получается простить его, почему?..

Лида отвернула лицо чуть в сторону, к плечу, чувствуя, как слезы уже предательски щиплют глаза. «Скорее бы остановка, скорее бы выйти отсюда!»

Но поезд все мчался в черном, бесконечном туннеле.

Лиде вдруг стало жутко — просто так, без причины. Слезы пропали. Она повернула голову, бросила взгляд на весь вагон, вернее, на два вагона — между этим и следующим был свободный проход.

Поезд мчался на большой скорости, его слегка потряхивало на стыках. А какой холодный, белый свет у этих ламп, точно в операционной...

Лида вцепилась обеими руками в поручень. Еще мгновение — и она закричала бы в голос. Мелькнула мысль — «ну вот, я окончательно спятила...».

А потом...

А потом что-то грохнуло, вагон дернулся, подпрыгнул, раздался чудовищный, невыносимый для ушей скрежет и вой. Лида удержалась на ногах, но вагон опять тряхнуло, и вот тогда все окончательно полетело в тартарары.

* * *

Егор вернулся раньше обычного. Теща была в доме, жарила блины. Она часто к ним ездила, без ее помощи — никуда.

— Егор, ты пришел? А я вот блины затеяла. Сейчас последний допеку и за Васей в школу сбегаю.

— Зачем? Сам схожу, Вера Петровна. А вы отдыхайте, — заглянул на кухню Егор. В кухне вкусно пахло блинами, негромко бубнил телевизор.

— Зачем мне отдыхать? Ты работаешь, а я чего... Сиди, сиди, милый, Лида скоро придет, лучше ее встречай.

— Хорошая мысль. Я тогда пойду за ней к метро. Сюрприз будет.

— Да, точно! — обрадовалась теща, перевернув блин.

Изображение на экране замерло, потом выскочила новая заставка, а понизу — бегущая строка.

— Что это? Какое-то экстренное сообщение... — пробормотал Егор.

Теща тоже замерла, уставилась с удивлением и страхом на экран.

— Ой, не дай бог... — смятенно пробормотала пожилая женщина. — Мало я этих экстренных выпусков слышала!

Заставка исчезла, появилась диктор. Поначалу Егор не понял, чего та тараторит, а потом до его сознания дошло — очередной теракт в Москве.

— ...как сообщают наши корреспонденты, взрыв произошел на перегоне, внутри тоннеля. Людей со станций эвакуируют. Расчеты пожарной и «Скорой помощи» приехали к месту происшествия, этот район оцеплен... ситуация осложняется еще тем, что во время взрыва произошло обрушение свода тоннеля с обеих сторон, и к самому поезду подобраться невозможно. Спасатели расчищают завал...

— Это где? — прошептала теща. — Это у нас опять?!

— Тихо, тихо... — Егор повернул телевизор к себе, уставился в лицо дикторше. — Да я понял! Ты скажи, где это? Где?!

Ведущая с экрана все той же скороговоркой произнесла название ветки метро и тех станций, между которыми произошел теракт.

От сковороды шел чад. Егор повернулся к теще. Та смотрела на него. Они произнесли одновременно:

— Лида?!

Несколько мгновений они оба молчали. От сковородки валил уже черный, едкий дым. Егор встряхнулся, выключил конфорку, заставил тещу сесть и произнес твердым голосом, обращаясь по большей части к себе:

— Еще ничего не известно. Паниковать рано. Может, Лида еще у себя в лаборатории. А может, она в другом поезде. В другом вагоне, не в том, где взрыв. Может, с ней все в порядке. Очень, очень маленькая вероятность, что Лида оказалась в самом эпицентре взрыва! Да этого быть не может!

Егор выхватил из кармана пиджака сотовый. Но — короткие гудки. Линия была перегружена, что ли? Он принялся звонить по городскому Лиде на работу, и тоже без результата — занято. Вероятно, весь город был уже охвачен тревогой, и тысячи людей пытались дозвониться до своих близких.

Но не сидеть же дома, не ждать у моря погоды? Егор решительно не умел бездействовать.

— Вера Петровна. Короче. Сходите за Васькой в школу, потом возвращайтесь, дома сидите с ним. Я поеду к Лиде, в лабораторию. И не вздумайте переживать раньше времени! Может, она уже вернется скоро, слышите! Может, я ее по дороге уже встречу...

Егор выскочил из дома. Сел в машину, направил ее в сторону метро. Пока ехал, все высматривал Лиду — не идет ли? Она именно этой дорогой всегда возвращалась...

Но нет, сердце ни разу не вздрогнуло, когда он скользил взглядом по прохожим. Егор доехал до метро, помедлил минут пять, глядя, как из дверей выскакивают наружу взволнованные, испуганные пассажиры (плохие новости узнаются быстро!), потом нажал на педаль газа.

Смог доехать лишь до Садового, а там машины стояли. Бросил авто, а дальше — на своих двоих, бегом.

Город лихорадило — гудели автомобильные клаксоны, до ушей доносились обрывки чужих разговоров —

все о том же, о страшном, что произошло сегодня в метро.

Еще дальше движение было вовсе перекрыто. Сплошным потоком навстречу двигались люди (поскольку ближайшие станции метро были закрыты на вход). Егор, наконец, оказался у здания, где находилась лаборатория, в которой работала Лида. Испуганный вахтер на входе сообщил, что все сотрудники давно ушли.

Егор рысью обежал весь район, все улочки. Площадь, на которой находилось метро (та самая станция, которой обычно пользовалась Лида) — была перекрыта. Гул вертолетов, завывание сирен, топот бегущего взвода полицейских...

Никто ничего толком не знал. И ни хрена не видно, что там, возле метро, творится. Хаос.

С того момента, как Лида предположительно покинула место своей работы, прошло довольно много времени. Либо Лида уже дома, либо она — *там*. Там, где случился взрыв и обвал.

Егор выбрался из толпы, принялся звонить домой.

Долго линия была занята. Наконец, получилось — теща сняла трубку и сообщила, что за Васькой она сходила в школу, а вот Лиды до сих пор нет. Голос у пожилой женщины дрожал.

Сердце у Егора сжалось. Он, как мог, успокоил тещу, затем принялся обходить площадь вокруг, вдоль оцепления — в надежде подобраться ближе к станции и увидеть, что там творится.

«С Лидой все в порядке... Даже если она там, то с ней все в порядке! Поезд, в котором она ехала, просто заблокирован. Скоро его откопают, и люди смогут выйти. И она тоже...»

В толпе были любопытствующие, и те, которые тоже искали своих родных.

— В Склиф, если что, повезут...

— Может, уже там!

— Какой там, завал-то еще не расчистили, новости слушайте!

— Это не люди, это не люди... те, кто этот взрыв устроил!

— А помните, два года назад, тоже в центре...

Толпа вокруг бурлила, полнилась слухами.

Егор снова пытался звонить домой, затем всем своим знакомым, которые могли хоть как-то помочь.

Короткие гудки. Потом отозвался один из номеров — Пашка Самойлов, бывший одноклассник (вот сколько от них пользы, от встреч выпускников) обещал перезвонить, как только узнает что-либо. Пашка был сейчас большим начальником в органах внутренних дел.

Еще через час Егору опять удалось дозвониться домой. И опять теща тихо плакала — Лиды нет до сих пор...

Еще через некоторое время стало известно — спасатели почти расчистили завал и подобрались к поезду, в котором произошел взрыв.

Звонок.

— Алло!

Пашка Самойлов:

— Егор, я тут, на месте. У меня есть возможность пройти за оцепление. Подходи к посту, тебя пропустят, я дал распоряжение...

Молоденький лейтенант, когда Егор назвал свою фамилию, схватил его за локоть потащил за собой.

Самойлов ждал его за рядами автобусов.

— Егор, сейчас началась эвакуация пострадавших... Я буду наблюдать, сообщу, если кого похожего на твою Лиду увижу...

— Молодая, красивая, тоненькая, невысокая она. Волосы белые, длинные, вьющиеся!

— Понял! Наблюдай отсюда, ближе не пустят, там еще одно оцепление. Посторонним туда нельзя, слышишь?

Половину слов Егор не разобрал — гудел приземляющийся на площадь вертолет.

Происходящее напоминало ночной кошмар.

Скоро из дверей метро под руки стали быстро выводить людей — в пыли, в саже, изодранной одежде, с потеками крови, но живых! Егор жадно вглядывался (было довольно далеко), искал среди спасенных Лиду.

И ждал — ну где же она?

Спасатели выносили людей на носилках, где-то там носился Самойлов — он обещал дать Егору знать, если найдет кого-то похожего на Лиду.

Эвакуация шла стремительно, раненых быстро грузили в «Скорые» и увозили.

Носилки. Еще носилки. Черные целлофановые пакеты. Да сколько же их?

Егор вдруг понял, что живых там не осталось. Теперь выносят только мертвых. А это значило...

Пашка Самойлов вернулся к Егору:

— Друг, в общем, так... Там, внизу, сплошное месиво. Никого не узнать.

— А это еще ничего не значит, — пробормотал упрямо Егор, в продолжение своим мыслям.

В самом деле, он мог просмотреть Лиду. И Самойлов ее не заметил. Ее увезли в этой суматохе в больницу. С какой-нибудь пустяковой травмой. Что Самойлов говорил о месиве? Нет, нет, Лиды там нет...

Может быть, он вообще тут зря стоит. Паникер. А Лида где-нибудь в городе... Идет по улице, размахивая сумочкой. Сегодня ведь чудесный день, солнце. Жена наверняка, покинув лабораторию, не стала спускаться в подземку, а решила пешком по городу прогуляться.

У Егора задрожало все внутри. Представить, что его Лиды больше нет на этом свете — немыслимо, невозможно!

...Он ведь в нее с первого взгляда влюбился. Увидел и влюбился. Сердцем узнал, угадал. Ведь она одна такая, одна-единственная, ее нельзя не заметить.

Нежная. Нежнее нежного. Хрупкая! Как крылья бабочки, как лепестки цветка... О ней хотелось заботиться, помогать ей. Спасать и утешать.

А если она все-таки оказалась в том страшном месте, в том злосчастном поезде?

А если он больше никогда не увидит ее? Хоть сто лет потом ходи по улицам, ищи взглядом... и не найдешь.

* * *

Гул и звон в ушах. И странное ощущение, будто ее только что пыталось прожевать железными челюстями огромное чудовище — но почему-то передумало, выплюнуло.

Лида не понимала, где она и что надо делать.

Потом мысленно позвала саму себя: «Лида! Ты — Лида? Да, ты Лида. Вставай!»

Но вставать не хотелось. Тогда она заставила себя вдохнуть и резко выдохнула. Тихонько пошевелилась — убедившись в том, что может двигаться. Потом открыла глаза и попыталась сесть. Голова кружилась, уши словно ватой были забиты, сквозь которую пробивались какие-то звуки. А перед глазами — серые сумерки...

Несколько секунд Лида сидела, словно в тумане, а потом — раз! — быстро и резко вернулись к ней все ощущения.

Уши резанул чей-то крик рядом. Еще дальше — стоны. Проклятия.

Тусклое аварийное освещение. Запах гари, железа.

«Я жива. Контузило немного... Я жива, и со мной все в порядке!» — Лида оглядела себя — подол платья наполовину оторван, ссадины на ногах, и сзади, на затылке — пульсировала шишка. Возможно, повезло потому, что она находилась в конце вагона, стояла, прислонившись к дверям (к тем самым, на которых была просьба не прислоняться), и взрывная волна прошла мимо нее, дальше, вывернув другую дверь, в торце, где был переход между этим вагоном и следующим...

А вокруг, в искореженном пространстве, словно тени, шатаясь, двигались люди. Те, кто пострадал меньше. Остальные лежали в проходе или на искромсанных взрывом сиденьях.

— Доктора! Тут есть доктор?! — кричал кто-то, не переставая.

Лида, которая боялась всего на свете и переживала по любому поводу, сейчас не чувствовала страха. А чего бояться? Страшнее с ней ничего больше не может произойти. Она — *уже в аду.*

Лида поднялась.

Одним движением она оторвала подол, быстро перевязала ногу истекающему кровью мужчине рядом — тому, что опрокинулся на сиденье.

И сразу же бросилась к молодой рыжеволосой женщине, лежавшей под завалом разорванного металла неподалеку. Коснулась запястья, проверяя пульс — слабый, нитевидный. Дело плохо! И тут только заметила торчащий из живота рыжеволосой женщины железный штырь. «Словно бабочка, которую насадили на иглу... — подумала Лида. — Ее лучше не трогать!» А вслух произнесла:

— Держись, милая, скоро помощь придет.

Рыжеволосая слабо улыбнулась — вероятно, она не чувствовала боли из-за шока. Лида заставила себя двинуться дальше — поскольку в соседнем проходе стонала другая женщина, схватившись за голову.

— Есть медсестры, есть те, кто умеет оказывать первую помощь? — закричала Лида. — Все сюда. У кого есть бинты, лекарства? Одежда, которую можно на перевязку пустить?

Тут только Лида осознала масштабы катастрофы. Пострадавших было столько, что на мгновение Лида растерялась. Не проще ли дождаться спасателей, медиков?

В вагон заглянул мужчина:

— Как тут у вас? Черт... В конце поезда еще был один взрыв.

— Выйти можно? — отчаянно заголосил кто-то. — Контактное напряжение сняли с рельса? Можно же самим отсюда выбраться...

— По тоннелю...

— Надо бежать!!!

— Без паники!...

Неподалеку какая-то женщина платком перевязывала юноше руку и вполне профессионально, ловко это делала.

— Вы медсестра?

— Да.

— Потом идите к тому мужчине, ему надо жгут наложить... Сможете? А я сейчас эту девочку посмотрю.

— Мне помогите! — завизжал молодой парень, схватив Лиду за рукав. — У меня плечо болит! У меня все кости переломаны, наверное!

Лида быстро осмотрела его, оттолкнула и потом закричала:

— Люди! Сначала надо помочь самым тяжелым раненым... Никого лишний раз не трогайте, не теребите — вы можете не помочь, а навредить!

Лида была дипломированным педиатром, и ее мирная специализация не совсем годилась для этой страшной ситуации, но она, по крайней мере, знала больше других (не медиков) о первой помощи.

Когда-то Лида слышала лекцию о медицине катастроф — о том, как оказывать помощь во время чрезвычайных ситуаций. Слышала всего одну лишь лекцию, ознакомительную, но помнила из нее — сколь важно в первую очередь отсортировать пострадавших. Ведь есть те, кому помощь нужна незамедлительно, а есть те, кто может подождать. И — есть те, на кого времени тратить не стоит. Потому что бесполезно — они еще живы, но они агонизируют. (Вот как та, с рыжими волосами.) И лучше помочь тем, у кого еще есть шансы... Наверное, это было самым тяжелым — делать выбор.

Лида металась от одного раненого к другому, отдавала распоряжения. У нее уже была в помощницах медсестра, потом появились добровольцы — те, кто умел делать перевязки, накладывать жгуты, чтобы на время остановить кровотечение — вокруг было полно людей с порезами, с оторванными конечностями.

Спасателей все не было, кто-то из мужчин, отправившихся разведать ситуацию, сообщил, что, оказывается, поезд заблокирован в тоннеле с обеих сторон.

Поэтому медлить с первой медицинской помощью было нельзя. Но тут, к счастью, очнулся от контузии еще один доктор, потом объявилась вторая медсестра, потом набралось еще несколько добровольцев, знающих, как оказывать первую помощь, и они уже все вместе с Лидой принялись обходить вагоны.

Лида отдавала распоряжения, командовала, увещевала, утешала... Она сама не поняла, как она оказалась тут главной. Но именно ее почему-то слушались, ей помогали, выполняли ее инструкции и распоряжения, впавшие в панику люди затихали, услышав ее спокойный, рассудительный, строгий голос:

— Раненых лишний раз не трогайте! Если надо перенести, то делайте это вот так, взяв под мышки, в том же положении... Что? Сейчас иду. И будьте осторожны, все те, кто делает перевязки. Если у вас у самих есть ссадины на руках, то помните о риске заражения через кровь... Если у кого-то есть резиновые перчатки, лекарства — сюда!

— С той стороны огонь стал появляться... в конце второго вагона.

— Мужчины, ищите огнетушители, срочно!

Но пожар, к счастью, не разгорелся — заработала система пожаротушения.

Впрочем, такая мелочь Лиду уже не испугала. Она бегала по поезду (примерно в трех вагонах произошли серьезные разрушения и было много пострадавших), поправляла уже кем-то наложенные жгуты, объясняла, как правильно останавливать кровь.

— Здесь рукой прижмите... Держите, я скоро к вам подойду.

Она выбирала тех, кому нужна была срочная помощь. Буквально — выбирала между венозным и артериальным кровотечением...

Крики, стоны. Лиду дергали со всех сторон. Забыв обо всем, словно выпав из времени, ничего не чувствуя и сохраняя абсолютное хладнокровие, когда приходилось переступать через мертвых, молодая женщина стремительно летала от одного раненого к другому.

Если бы ей кто сказал, что прошло почти три часа в этом аду, то она сильно бы удивилась...

Лида рассудком понимала, что не спасет всех. Но она поставила перед собой задачу — чтобы как можно больше пострадавших смогли дождаться реаниматологов, чтобы как можно больше людей выжило в этой мясорубке. Ведь этих людей ждут их родные, близкие.

Лида старалась помочь всем, потому что эти люди не были ей чужими. Чужих нет. Если все живут в одном городе, в одной стране, на одной планете, значит — чужими они уже априори не могут быть.

Дети должны жить, а не умирать без причины, внезапно. И их родители должны жить, а не истекать кровью в разбитых взрывом поездах. А она, Лида, пришла в этот мир затем, чтобы спасти многих, чтобы не дать погибнуть этой огромной человеческой семье. Она — не сумасшедшая. Она просто чувствует их всех, чувствует вибрации этого организма, называющегося «человечество». Вот как за несколько мгновений до катастрофы она ощутила приступ ужаса. Это было — предчувствие...

А все потому, что вокруг — не чужие. Свои. А чужой — только тот, кто все это устроил, эти взрывы.

...А еще краешком сознания Лида все время думала о сыне. О муже. О папе с мамой. Они тоже все ждут ее. И надо к ним вернуться, и любить их — изо всех сил, каждый день, каждую минуту, каждую секунду.

— Пробились! Идут! — раздались голоса. Из криков и разговоров Лида поняла, что, наконец, спасатели сумели разгрести завал и теперь шли к ним.

Люди — большинство, те, кто могли передвигаться — бросились в тот конец поезда, с единственным желанием — поскорее вырваться из этого ада. Остались только тяжелораненые — дожидаться помощи.

Лида же повернула обратно. Направилась в тот вагон, в который зашла сегодня этим чудесным осенним днем.

...Рыжеволосая женщина была еще в сознании. Лежала среди обломков, не шевелясь. Она посмотрела спокойно на Лиду сквозь полуприкрытые веки. По звуку дыхания, по цвету кожи, еще по нескольким признакам можно было понять, что это — последние ее минуты.

Лида села на пол, в проход, рядом с рыжеволосой, осторожно взяла ее ладонь в свои.

— Все хорошо, — сказала Лида. — Ты не одна. Я с тобой, слышишь?

Женщина улыбнулась краешками губ.

— Ничего не бойся, ладно? — продолжила Лида. — Я с тобой...

Прошло пять минут. К ним уже стремительно приближались спасатели, громко переговариваясь. Когда те были уже в нескольких шагах, рыжеволосая перестала дышать. Лида отпустила ее руку.

— Жива? Не ранена? — Лиду подхватили, потащили с собой. Она не сопротивлялась.

По развороченным взрывом вагонам, по тоннелю, по платформе пустой, в дыму станции, по замершим ступеням эскалатора... Словно это не люди, а неведомая сила тащила Лиду вверх, туда, где было небо и сияло на нем вечернее солнце, малиновым золотом отражаясь в окнах домов.

* * *

Егор стоял, потрясенный увиденным. Искалеченные, в крови, люди... Но где же Лида? Уже эвакуировали всех из того поезда. Живые-здоровые сами разбежались, раненых увезли «Скорые».

У Егора перед глазами все еще стояли страшные картины того, чему он стал свидетелем.

— Крепись, друг, — Самойлов похлопал Егора по плечу. — Может, она в больнице. Просмотрели, бывает.

— Да...

Самойлов опять убежал. Из метро продолжали выносить тела в пластиковых пакетах. «Что же делать? Она так и не простила меня. Говорила, что простила, но нет, я же видел. И теперь это уже не исправить. Поздно...»

Медленно садилось солнце, и так странно контрастировал теплый сентябрьский вечер с тем, что творилось сейчас на этой площади в центре города...

И в этот самый момент из створок метро выбралась еще группа людей. Спасатели в комбинезонах вели кого-то под руки.

— Лида? — прошептал Егор глядя на тонкую, черную — в саже и запекшейся крови фигуру, с черными прямыми прядями волос, с черным лицом. Он — узнал.

Ну как он мог ее не узнать, когда он всегда узнавал ее в любой толпе, мог найти ее — даже среди миллиона людей, как бы она ни выглядела в тот момент?

— Лида!!! — заорал он и бросился к ней навстречу.

Никто не стал останавливать его. И Лида освободилась от рук спасателей и побежала ему навстречу, раскинув руки.

Конечно, это была она, его Лида, его единственная. Она и не она. Потому что ее глаза... Ее глаза смотрели иначе — краешком сознания, невольно, мельком — отметил Егор.

В глазах Лиды совсем не было страха, а что-то иное, удивительное... Чему не сразу можно найти определение. Ну, как будто жена боролась с полчищем демонов и — победила их всех.

За миг до того, как Лида с Егором соединились в объятиях, какой-то репортер успел сфотографировать их.

Потом этот снимок, как символ всего случившегося в этот страшный день и одновременно как символ надежды (отчаявшиеся, но все-таки — нашедшие друг друга возлюбленные), облетел весь мир.

ОДЕРЖИМОСТЬ

Ира росла в очень хорошей, интеллигентной семье. Папа был врач, мама — учительница в школе. Жили бедно (советские еще, дефицитные времена!), но весело. Летом ходили в походы с палатками, зимой — всей семьей вставали на лыжи. Сдавали макулатуру, добывали дефицитные книжки — Дрюона, Дюма, Пикуля, Ефремова... Читали, чуть не вырывая их друг у друга из рук — такими жадными были до всего нового, интересного! Выписывали кучу газет и журналов и тоже прочитывали их от корки до корки.

Иру все окружающие считали и умницей, и красавицей, что редко случается. Во-первых, отличница, окончила школу с золотой медалью, поступила сама, без блата, на филологический факультет МГУ. Во-вторых, высокая, фигура спортивная, черты лица идеальные, очень женственные (как у популярной в то время молодой актрисы Алферовой, Ириной тезки). Длинные, густые, темно-каштанового оттенка, чуть вьющиеся волосы (так трогательно выглядели эти завитки, когда Ира укладывала волосы вверх!).

В-третьих, и в главных — юная девушка на фоне своих сверстниц выделялась тихим нравом и скромностью.

Словом, и родители, и все окружающие прочили Ире необыкновенное будущее. Такая — просто обязана стать счастливой и выбрать себе в спутники наидостойнейшего молодого человека. Конечно, после того, как девушка окончит университет.

Но случилось странное.

Осенью, когда Ире только-только исполнилось восемнадцать, она влюбилась в работягу. Да-да, в самого настоящего работягу из автомастерской.

Дело было так — Ира после лекций в университете возвращалась домой. Вышла из метро, встретила подружку, а та направлялась в гараж к деду (ключи дома забыла, а родители на работе). Тому, как ветерану войны, недавно выделили гараж для его «Запорожца».

Подруги отправились к деду вместе. Нашли его, подружка раздобыла, наконец, ключи. Но остались — дед хвастал гаражом и машиной, девушки с прилежными улыбками слушали старика.

Надо отметить, что гаражи эти, находившиеся на заднем дворе многоквартирного дома, были своего рода мужским клубом. Тут собирались автолюбители, чинили своих железных коней, болтали за жизнь, выпивали (но культурно все, не алкаши же какие подзаборные!) и играли в домино.

Пока Ира слушала излияния подружкиного деда, она невольно наблюдала за компанией, собравшейся вокруг столика с домино, неподалеку.

Ясный, теплый октябрьский денек. Солнце, листва еще не успела опасть — и переливалась золотом на ветру. И среди прочих людей, невыразительных и скучных — *он*, молодой мужчина, с насмешливой улыбкой на лице. Сначала слушал, как говорит что-то его товарищ, потом выругался нехорошим словом и расхохотался.

Ира не считала себя кисейной барышней, многое понимала, обо всем знала (в теории, конечно), в обморок от грубостей жизни не падала, просто инстинктивно сторонилась их. Обходила неприятных людей, пропускала мимо ушей забористые фразы, отворачивалась, когда замечала что-либо непристойное. Грязь не прилипала к ней.

Но тут... С Ирой случилось нечто, когда она услышала это переперченное словечко, произнесенное молодым мужчиной.

Ей показалось, будто ее насквозь пронзила тонкая, острая игла — и больно, и сладко... А потом игла медленно вышла наружу, оставив после себя ощущение мучительно сжимающейся пустоты. Никогда подобного с Ирой не случалось! Жила в душевной невинности, а тут вдруг — раз, и потеряла ее, впервые ощутив темный, страшный и манящий зов своей женской сущности. Ира передернула плечами, едва сдержав стон — не хотелось уже возвращаться в привычный, скучный мир.

— Что с тобой? — удивленно спросила подружка.

— Так, озноб какой-то, — соврала Ира.

А сама продолжала смотреть на молодого мужчину — уже вполне сознательно, с жадным интересом. Ведь они были теперь связаны невидимыми нитями...

Ему на вид было лет двадцать пять — двадцать семь. В джинсах, модной кожаной куртке. Руки держал в карманах джинсов, ноги чуть расставлены — поза непринужденная, нахальная. Вообще, все в нем было нахальным, хулиганистым, вызывающим — помимо модного прикида, еще неформально длинные волосы — до плеч, смуглая кожа, цыганистые темные глаза, лоснистые черные брови... И белоснежные крупные зубы.

Судя по матерку — уж точно не из интеллигентов!

Молодой волк. Опасный зверь. Опасный и невероятно желанный...

Ира потеряла голову. Она думала только о нем, о белозубом хулигане. Повадилась ходить в тот двор, якобы гуляла со своей собачкой — рыжим шпицем.

Молодой мужчина ее заметил, и они познакомились.

Звали его Сергей. Автослесарь. Потому и в гаражах часто пропадал, возился с чужими машинами. Хотя совсем не бедный, при деньгах (гегемон же!). А все потому, что не дурак был выпить-погулять, а гаражный люд расплачивался бутылками.

Сергей ничего не боялся и никого не стеснялся, имел фарцовщиков в друзьях. Жил в свое удовольствие, по принципу «ты мне, я тебе», как многие в те времена жили.

Иру все это дико смущало, вызывало ужас и отвращение и, одновременно, — восторг. Она еще никогда не испытывала подобных чувств. И точно бабочка летела на огонь, не думая о том, что может опалить свои крылья.

Сергей тоже влюбился в Иру, наверное, по тому же принципу — противоположности притягиваются. Но его любовь не имела ничего общего с тем, как представляла себе любовь (в теории) Ира. И совсем не о таком женихе мечтала раньше романтичная девушка. Весь ее прежний мир полетел в тартарары.

Сергей — грубый не только в словах, но и в поступках. Но чем грубее и циничнее он был, тем сильнее заводилась Ира. Она позволяла ему абсолютно все, потому что только так чувствовала дикое, ни с чем не сравнимое, острое наслаждение... Какой, к черту, романтизм, какие еще вздохи при луне и совместные прогулки, взявшись за руки...

Тем более что пальцы у Сергея были черные, с навек въевшейся в поры сажей и еще чего-то там автомобильного, едкого, химического. Жесткие, с железными заусенцами пальцы. И вот этими пальцами он впивался в Иру, играл на ней, словно на некоем музыкальном инструменте — а она вибрировала и дрожала, чуткая к каждому прикосновению.

Уже при первом знакомстве, когда Ира с Сергеем крутились в замкнутом пространстве гаражей, кустов и решеток, обвитых багровыми лианами дикого винограда (а несчастный шпиц тащился, упираясь, за парочкой), — молодой мужчина позволил себе многое, очень многое. Но Ира и не думала сопротивляться, протестовать. Она молчала, покорно закусив губу, и только вздрагивала, когда Сергей слишком сильно сжимал ее своими железными ладонями. На втором свидании Сергей повел Иру в квартиру своего друга. Там все и случилось, окончательное.

Ира не жалела ни о чем и ни о чем не думала. Ее словно сама судьба влекла за собой — а разве судьбе можно сопротивляться? Так надо.

Родители Иры были в шоке. Их девочка связалась с плохим парнем! Как, почему? Что они упустили в воспитании? То, что Сергей являлся именно «плохим парнем», ни у кого не вызывало сомнений — ведь именно такой образ рисовало советское кино: в импортных шмотках, с наглой улыбочкой, патлатый. И еще момент — пусть и носил Сергей почетное звание «гегемона», но пропасть между сытыми работягами и нищей, но гордой интеллигенцией существовала всегда, эта пропасть даже при советской власти не смогла затянуться.

Учебу Ира забросила, а в скором времени забеременела.

Их в срочном порядке поженили. Сергей по-своему любил Иру, но о браке не думал. Просто отец — его, Сергея, отец — заставил сына. Будущий свекор, начальник цеха на заводе, мечтал о внуках и о том, что девушка из приличной семьи исправит молодого негодяя, его сына.

Новоиспеченную семью поселили в квартире Ириной бабушки, сама бабушка добровольно переселилась к Ириным родителям, в «однушку».

Первое время Ира с Сергеем жили в ладу, но потом, когда любовная горячка прошла, Сергей заскучал, стал чаще пропадать из дому. Ира, на сносях уже, бегала за ним, проверяла и ревновала. Но к чему-то особо серьезному придраться не могла, Сергей ловко заметал следы.

Родилась девочка, Маша. Сергей, на радостях, ушел в запой и пропадал где-то целую неделю. У Иры от огорчения чуть не пропало молоко...

Потом потянулись утомительные, долгие дни — когда молодой маме ни сна, ни отдыха. Сергей гордился дочкой, любил ее, но, как от отца, от него никакого толку не было.

Однажды Ира, вконец замученная, послала мужа на детскую кухню, хотя обычно сама туда ходила по утрам, с коляской. А тут уж совсем силы кончились.

Сергей ушел из дома, а вернулся... в два ночи. Пьяный, грязный. Вывалил из карманов куртки смятые пакетики с молоком и кефиром, произнес с гордостью:

— Вот,Ируська, принес твой заказ!

Ира ахнула, заплакала и обозвала мужа «скотиной». Сергей страшно обиделся. Он ожидал, что его похвалят за усердие. От обиды он ударил Иру по лицу, сломал ей нос.

Ира, в крови и слезах, убежала с Машей к родителям.

Через две недели Сергей появился там. Стоял на коленях, извинялся, звал Иру обратно (позже выяснилось, что свекор, обожавший внучку, заставил сына это сделать).

Родители отговаривали Иру, но она их не послушалась. Она смотрела на Сергея и ничего не могла с собой поделать... Она вернулась к мужу.

Некоторое время молодые супруги жили спокойно. Маше был год, когда Ира почувствовала странные симптомы. Побежала к доктору, и выяснилось, что у нее — нехорошая болезнь. Излечимая, слава богу, но стыдобища-то... Откуда она, эта болезнь? Ведь в жизни Иры был лишь один мужчина — Сергей. Она немедленно поделилась этим фактом с докторшей.

— От мужа-кобелюки, от кого... — хмыкнула венеролог, пожилая тетка, навидавшаяся всякого.

Ира была в шоке. Конечно, Сергей часто задерживался, а то и вовсе на несколько дней пропадал из дому. Да, он был любителем выпить, посидеть в компании... Но с мужиками же! Откуда в их компании женщины, да еще легкого поведения, совсем пропащие, если подобной гадостью болели? Ира все-таки не верила в то, что муж ей может изменять, да еще со столь отвратительными созданиями.

Теоретически, рассудком, Ира знала, что мужчины изменяют. Но сердцем поверить в то, что ее обожаемый Сергей способен на это... Как он мог променять ее, чистую, верную, любящую — на какую-то...

Сергей все отрицал. Он боялся отца. Ире заявил — не виновен. Пил, да. С мужиками в автомастерской. Много пил. «А там, во дворе, перед ремонтным цехом, такая грязь, ты видела, видела? Я упал прямо в лужу. Датый же был... А чего, не имею права, что ли? На свои же пью. Работаю, как вол, вот этими руками! Ты дома сидишь, отдыхаешь как на курорте, а я пашу на вас с Машкой! Ну, лежал я в этой луже. Мужики меня потащили под навес. По земле, по грязи по этой, по всем лужам. Ты видела, видела, в каком виде я пришел тогда? Сама меня свиньей обозвала... А чего в той грязюке водится, какие бациллы — представить страшно! Там, видно, в той луже, и подхватил инфекцию!»

Ира про то, что венерические болезни можно подхватить бытовым путем, слышала. А что, ведь правда, в автомастерской такая грязь, что немудрено заболеть...

И она — *поверила*. Простила. Поклялась ничего не говорить свекру.

Вылечились оба. Сергей даже завязал с алкоголем на время — видимо, сам напуган был. Ира ходила счастливая.

А потом... Как-то муж задержался, Ира привычно легла спать с Машей. Среди ночи открыла глаза — вроде какие-то звуки с кухни. Сергей вернулся наконец?

Ира встала, на цыпочках побежала туда. Открыла дверь и ахнула. Своими глазами увидела то, во что боялась поверить. Голая задница мужа. И отвратительная, красная, с зажмуренными глазами рожа какой-то девахи. Прямо на полу ведь! Ира схватила нож, лежавший тут же, в раковине. Деваха открыла глаза, заорала, столкнула с себя Сергея...

Ира бросилась с ножом на соперницу.

Крик, грохот, звон разбитой посуды... Сергей выхватил у жены нож, не дал свершиться смертоубийству. Соседи вызвали милицию. Но толку-то — стражи порядка приехали, посмотрели, пожурили Сергея. Забирать никого не стали. Деваха убежала, Сергей остался.

Ира тут же, в горячке, хотела отравиться — он опять не позволил. Избил — за то, что кайф ему обломала, и за то, что дурила.

Дальше... Дальше потянулись несколько лет липкого кошмара. Сергей пил, гулял, поднимал руку на Иру. Она терпела — а что делать, никуда же не денешься? И продолжала любить его. Ничего не могла с собой поделать, хотя уже понимала, с кем связалась и чего еще можно ждать от этого человека. Больше Ира уже ничему не удивлялась.

Работала Ира в садике — в том же, куда ходила Маша. Потом Маша пошла в школу, а Ира осталась воспитательницей в том же саду. У нее была мечта — получить высшее образование. Но откуда свободному времени взяться? Или на заочное пойти? Но Сергей не позволил. Как это так, он без образования, а жена чего, самой умной решила стать?

В стране тем временем происходили перемены. Перестройка, гласность, плюрализм. Митинги. Пустые полки в магазинах.

Сергей продолжал пить, хотя водку достать теперь было практически невозможно. Он, пока трезвый, все еще красавцем смотрелся... Все еще любил импортные шмотки, пижон.

Но постепенно деградировал. Стал опускаться. Когда понял, что либо на шмотки надо тратиться, либо на водку, перестал следить за собой.

Ира его бесила. Она тоже от такой жизни не хорошела. Вечно на нервах, взвинченная, готовая в любой момент отнять у мужа деньги — чтобы было на что накормить ребенка...

Когда Маше исполнилось десять, жизнь стала совсем беспросветной — Сергей поднял руку на дочь.

И вот тогда, только тогда, утешая плачущую, избитую дочь, Ира поняла, что дальше так жить нельзя. Она подала на развод, попыталась разменять бабушкину квартиру. Но не тут-то было. Оказалось, что Сергей прописал туда кучу каких-то незнакомых людей.

И бороться было нельзя, в стране царил хаос. Ира пыталась ходить по судам — бесполезно.

Вскоре мстительный Сергей и вовсе умудрился продать квартиру! Вернее, его, пьяного, заставили подписать какие-то бумаги. А он и подписал — назло жене. Квартира ушла за тысячу долларов и ящик «Сникерса». Сергей месяц пил, закусывал «Сникерсом», а потом, нищий и никому не нужный, вернулся в дом к отцу, ставшему к тому времени пенсионером.

Ира с Машей теперь жили у родителей. В «однушке». (Бабушка умерла незадолго до того.)

У отца случился инфаркт, как узнал, что дочь потеряла свою квартиру, и скоро отец тоже умер. Мать заболела раком на нервной почве, но вроде вылечили ее, пожилая женщина старалась, как могла, помогала с внучкой.

Жили на копейки, голодали. Гречка да картошка.

Сергей чуть не каждый вечер устраивал у дверей жены концерты, пытался ловить ее на улице, требовал денег, угрожал, бил сколько раз, таскал за волосы. Однажды ворвался в дом, когда Маша в школе была, а мать — в очереди стояла, в гастрономе, и... Лучше не вспоминать.

Однажды Ира, доведенная до самого дна отчаяния, села и задумалась. И мысли ее были самые горькие.

Это ведь ее вина во всем происходящем, не Сергея. Тот с самого начала негодяем и пьянчужкой являлся. Но зачем *она* связалась с ним, зачем? Ведь с самого начала было ясно, что он не исправится, что ничего хорошего не выйдет.

Тем не менее она, дурочка, связалась и даже замуж за него вышла. Потери Иры из-за того, что она стала женой Сергея:

1. Так и не смогла получить высшее образование. Пусть оно и задаром в эти тяжелые времена, когда даже академики с хлеба на воду перебиваются, никому не нужно, но как совсем без него? Себя только не уважать...

2. Потеряла квартиру, доставшуюся от бабушки.

3. Потеряла отца из-за той самой квартиры.

4. Мать стала инвалидом, не вынеся всех переживаний.

5. В сущности, в «смертный» список можно и бабушку занести, ведь последние годы старушка ютилась с родителями, без своего угла, всем пожертвовав ради внучки.

6. В буквальном смысле Ира потеряла также красоту и молодость, раньше срока постарев и потускнев внешне. Сломанный когда-то нос шарма тоже не добавлял. Здоровье тоже потеряла, почки что-то барахлили — верно, отбил их Сергей. Теперь синюшные мешки под глазами, и ничем их не запудришь. Левая рука плохо двигается из-за перелома.

7. Маша. Маша... Господи, сколько бедная девочка тоже потеряла здоровья и нервов из-за своего папа-

ши! Теперь уроки делает на кухне, между плитой и мусорным ведром.

Вот сколько потерь...

А что из приобретенного?

Опять же, только дочь. Любимая, дорогая, единственная. Красавица. Краше матери получилась. Умница, отличница. Единственная радость!

Но ведь Ира же могла родить ребенка от нормального мужчины... Здоровая, красивая девица — окончила бы свой МГУ и нашла бы пусть не самого лучшего, но приличного парня, по крайней мере. А может, и за границу бы Ира уехала, получив высшее образование. Жила бы там припеваючи, родителей бы туда с бабкой перевезла. Вон, вся Америка на чужих мозгах живет, и Ира бы там тоже пригодилась.

Нашла бы в США мужа, поселились бы где-нибудь в Майями, где солнце круглый год. Детей бы родили. Кстати! Надо еще пункт с потерями добавить:

8. Не родила других детей. Да, да, по сути, Ира из-за того, что связалась с Сергеем, потеряла возможность еще родить. Раньше боялась (второй ребенок в семье алкоголика, куда еще), а потом уже у самой здоровье испортилось.

«Какая же я дура, боже мой... — плакала Ира, схватившись за голову. — Что я наделала! Я же жизнь себе сломала, себе и своим близким...»

Она вернулась памятью в тот самый злосчастный день, когда впервые увидела Сергея. Да, тот был хорош собой, но что Иру тогда завело? Ее завел мат из его уст! А еще наглая улыбка, наглая поза. По сути, Ира с первого взгляда влюбилась — в негодяя. Почему? Почему она, приличная девочка из приличной семьи, обратила на этого подонка внимание?

Ира долго думала над этим вопросом и не находила ответа. Никакой логике ее тогдашнее поведение не поддавалось. Наверное, ответ прост: она, Ира — дура. И, если оглядеться, вокруг полно таких же дур.

Хотя многие из этих дур — вовсе ими не являются. Нет, тут не в дури дело, в другом... Наверное, это особенность женской психики — терять голову, идти на поводу своих чувств и не думать о будущем.

Точно, это закон природы. Без него человечество вымерло бы давно.

Ире стало немного легче, когда она пришла к этому выводу.

Но вот если бы можно было вернуться в тот теплый октябрьский вечер! И исправить все. Она бы не стала смотреть на Сергея, отвернулась бы. И пошла бы по жизни своим путем. Хотя... чего тут можно исправить?

Тем не менее синдром отличницы уже вновь проснулся в Ире.

И тогда Ира, которой исполнилось уже тридцать лет, поступила на заочное в один из вузов. Не МГУ, попроще, не на возвышенного филолога, а на скучного экономиста, но что ж теперь... Работала и училась. Маша уже взрослой, вполне самостоятельной девочкой была, и мама еще помогала. Жили они хоть и в тесноте, втроем в своей «однушке», но очень дружно. Любили друг друга, не скандалили по пустякам. И мама, и дочь — поддержали Иру в ее стремлении учиться. Они гордились ею.

А скоро и новое чудо случилось — Серегу женила на себе одна женщина из Подмосковья. Предпринимательница, у нее свой бизнес был. Дама строгая, крутая на расправу. Отмыла, почистила Серегу, заставила его кодироваться. Увезла к себе, подальше от той компании, с которой он хороводился на заднем дворе, среди гаражей. Этот задний двор, кстати, из мужского клуба по интересам превратился в лихие 90-е — в жутковатое местечко, притон под открытым небом.

И вот, как только Ира освободилась от страстей, ее пожиравших, от мучительной, злой любви, от самого человека, эту любовь вызвавшего — Сергея, так Ирина жизнь сразу стала налаживаться.

Словом, наступили мир и тишина. Ира, получив образование, теперь работала бухгалтером. А поскольку всегда отличалась ясным умом, то работодатели ее быстро оценили. За несколько лет Ира сделала неплохую карьеру, от простого бухгалтера в ЖЭКе до главбуха на большом московском рынке. Там ее ценили на вес золота. Рискованная работенка, навидалась всякого. Но зато платили хорошо, Ира даже смогла продать «однушку» и купила «трешку» — пусть на окраине, но в хорошем, чистом районе.

Дочь Маша училась на одни пятерки и росла умной, спокойной девочкой, с плохими компаниями не водилась, читала книжки дни и ночи напролет.

Одно только горе посетило Ирину семью — промучившись еще несколько лет, умерла мама. Это был удар, конечно, но он не сумел выбить Иру из колеи.

В начале двухтысячных жизнь в стране уже наладилась. Ира ушла с рынка на работу в совместное предприятие, где обстановка была спокойнее и меньше проблем. Женщина получила права, купила приличную иномарку, одевалась в хороших магазинах, ездила с Машей на отдых за границу.

О том, чтобы вступить в брак второй раз, Ира даже не мечтала. Она к своим сорока годам полностью освободилась от иллюзий и видела людей насквозь. И легко могла представить, что вышло бы из тех или иных отношений, какое будущее ее бы ждало. Идеальных мужчин не существовало, а жертвовать хоть капелькой своей свободы и независимости Ира не желала.

Она часто вспоминала свое прошлое и сама себе ужасалась каждый раз. Как она могла связаться с Сергеем? Почему ей нравилось купаться в той грязи? Быть униженной и избитой? Зачем понадобилось столько лет терпеть все это безобразие?

Наверное, все потому, что родители в свое время не поговорили с ней, еще девочкой, об ужасах семейной жизни с таким вот негодяем и садистом. А может, родители и не видели всей той грязи, что творилась вокруг — потому что сами были счастливы! И вообще, в те времена женщины слишком уж цеплялись за мужчин. Быть одной — считалось несчастьем еще большим, чем быть рядом с алкоголиком.

Вероятно, именно поэтому родители не протестовали в свое время против брака Иры и Сергея, из тех же «средневековых», устаревших соображений — ну как же их девочка будет матерью-одиночкой, ее надо поскорее выдать замуж...

Теперь мнение общества переменилось. Уж лучше быть женщине одной, чем рядом с каким-то уродом. Но все равно, сколько еще вокруг несчастных, сраженных то ли дурью, то ли охваченных одержимостью девушек и женщин... Ломают свои судьбы и судьбы детей, цепляясь за негодяев.

А книги? Как в них преподнесена любовь? Вранье! Все вранье...

Поэтому Ира считала своим долгом как матери вести с Машей частые беседы на тему семейной жизни и любви.

Ира объясняла дочери: не стоит идти за желаниями. Надо быть умнее и расчетливее, иначе можно все потерять — как потеряла когда-то она, Ира.

Слава богу, Маша, при всей своей склонности к художественной литературе с ее романтичными героями, росла умной девочкой. К тому же дочь помнила несчастливые годы жизни с отцом и потому избегала знакомств с «плохими» мальчиками — знала, чем это может закончиться.

Маша после школы поступила в Литературный институт. Она писала стихи. Преподаватели находили в ней талант. Хотя, конечно, в наше время стихами не проживешь... Маша собиралась работать в издательстве, а в свободное время писать стихи, что мудро — и без куска хлеба не останется, и для души дело будет.

Красива Маша была необычайно. От матери ей досталась стройная фигура, роскошные волосы, от отца — черные цыганские глаза и лоснистые брови. Тихая и одновременно смешливая девушка. Умная и легкая. Необидчивая и озорная...

Парни бегали за ней табунами, но Маша, воспитанная строгой матерью, не теряла головы. Было у нее несколько юношеских романов, но, к счастью, Маша подонков сторонилась, выбирала приличных мальчиков. И, потом, Ира держала под контролем личную жизнь своей дочери.

После института Маша, как и рассчитывала, нашла себе место редактора в хорошем издательстве, занимающимся детской литературой.

И в ее жизни появился Володя.

Маша с ним познакомилась на вечеринке у друзей.

Потом привела домой, к матери — показать.

Сказать, что Ира была потрясена, пообщавшись некоторое время с молодым человеком, — это ничего не сказать. Ира была сражена. В хорошем смысле. Потому что Володя представлял собой того самого идеального мужчину, о котором Ира мечтала — но не для себя уже, а для дочери. Словно высшие силы стремились вознаградить Иру за все ее мучения, послав столь чудесного зятя!

Итак, подробно о Володе.

Тридцать лет — ни больше, ни меньше для современного жениха. Прекрасный возраст, когда еще не успел дров наломать, но и некоторый опыт приобрел. Высокий, статный. Не урод (в люди с ним выйти не стыдно), но и не красавец (уже жене спокойнее будет). Из хорошей семьи. С хорошим образованием. При хорошей должности — начальник отдела в крупном банке. И, судя по всему, Володя был из тех современных мужчин, что не ленились, любили работу и всеми силами стремились сделать карьеру. Но и не трудоголик, готовый поступиться интересами своих близких.

Опрятный. Скромный. Вежливый. Аккуратный. Законопослушный даже в мелочах. Абсолютно лишенный агрессии, которой отличаются «плохие» мальчики.

Не курит и не пьет.

И главное. Судя по всему, Володя был представителем того редкого типа мужчин, который отличается моногамией. Да, у него до Маши, насколько могла узнать Ира, было несколько романов — но романов вялотекущих, коротких (когда совсем уж без романов, то тоже подозрительно). И только с Машей Володя расцвел. Ее он любил по-настоящему — пылко, самозабвенно, жертвенно.

Он был очень, очень чуток с Машей. Читал ей стихи, делал подарки, устраивал романтические сюрпризы... То есть не только словами, но и делами доказывал свою любовь.

Володя сделал Маше предложение и намекнул, что мечтает о детях.

Ну разве это не идеальный мужчина?!

— Если ты его отвергнешь, то будешь круглой дурой, — сказала Ира дочери, когда та пришла с ней посоветоваться. — Я тебя, конечно, заставлять не собираюсь, но лучше мужчины ты не найдешь.

— А я и не собираюсь от Володи отказываться! — испугалась Маша. — Он такой надежный, добрый! С ним очень спокойно. Как за каменной стеной.

Они поженились — Маша и Володя. Ира на свадьбе плакала от счастья, а все Володины друзья удивлялись — надо же, какая удача, повезло мужику... Мало того, что женился на красавице, так еще и теща обожает своего зятя!

Маша ушла жить к мужу. Да, кстати, у Володи имелась собственная квартира.

Ира чувствовала себя абсолютно счастливой. Ее личная жизнь потерпела крах, зато у Маши — она удалась.

Через год в молодой семье родилась девочка, еще через год — вторая. Здоровенькие и красивые малыши-погодки... И беременности, и роды у Маши протекали без проблем и осложнений. Без боли и страданий. Девчонки — Лиза и Катя — оказались некапризными, спокойными. С ними практически не было проблем.

Кроме того, Маше помогала нянька, да и сама Ира частенько сидела с внучками.

Чувства Володи не изменились за все это время. Он продолжал нежно и пылко любить Машу. Он не изменял ей, не преподносил тех подленьких «сюрпризов», на которые способны большинство мужей. А сама Маша, словно в благодарность мужу, оставалась все такой же воздушно-прекрасной, как в девичестве. Материнство никак не отразилось на ее внешности.

Отношения же Володи и Иры стали еще лучше, еще крепче. Ире он был как близкий родственник, как сын, которого у нее никогда не было.

Володя частенько заезжал к Ире с подарками и просто так, повидаться, посоветоваться. Мнением тещи он чрезвычайно дорожил, считая Иру мудрой женщиной.

Словом, Ира купалась в счастье, радуясь тому, как счастливы ее близкие.

...Это случилось осенью. Катя еще посещала детский садик, подготовительную группу, а Лиза уже пошла в первый класс. Однажды, в начале октября, Ира решила навестить старшенькую внучку. По договоренности с дочерью, Машей, Ира забрала внучку из школы, погуляла с Лизой в парке, потом они посидели в кафе, потом подъехал Володя, сердечно пообщался с тещей, Лизонька крепко расцеловала бабушку — и зять с внучкой отправились домой. А Ира поехала к себе, довольная и по-хорошему взволнованная — ведь каждое свидание с родными дарило женщине необыкновенный подъем. В такие моменты она особенно остро чувствовала, что жизнь прошла не зря, что она сумела преодолеть свое гадкое, тяжелое, бессмысленное прошлое — когда была женой Сергея.

Но параллельно с радостью опять неотвратимо всплыли эти мысли, отравляя душу, — почему, почему, почему она была такой дурой? За что любила это ничтожество? Словно ложка дегтя в бочке меда...

Повинуясь порыву, Ира повернула руль и направила свое авто в тот район, где ее семья жила когда-то.

Свернула в переулок, весь забитый припаркованными машинами (раньше их тут столько не было!), хотела подъехать к бывшему своему подъезду, но поняла, что не получится... Пришлось объезжать дом, другой, третий и... останавливаться на заднем дворе большого многоквартирного дома. Того самого, где когда-то впервые увидела Сергея.

Ира вышла из машины, огляделась — прежние гаражи снесли, власти разбили на этом месте детскую площадку. Уютно, чисто. Никакого напоминания — ни о меланхоличных и благостных временах застоя, ни о смутном хаосе криминальных девяностых.

Клумба, безопасные качели, разнообразные горки. Мамаши с колясками, малыши в песочнице. А хотя вон оно, напоминание о прошлом — чуть в стороне столик с лавками, там вполне себе опрятные пенсионеры играли в домино. Но даже эта сценка выглядела столь идиллически, мирно, что Ира почувствовала, как защипало глаза.

Потому что ее прошлое исчезло. Было стерто с лица земли. А весь мир вокруг был прекрасен, словно чья-то волшебная кисть нарисовала на старом холсте новую картину.

Тепло, листья еще не опали, и в лучах вечернего солнца они трепетали на ветру... Женщина смахнула со щеки слезинку, улыбнулась. И вдруг услышала:

— Ирк, ты, что ли?

...Ее всю передернуло, чуть не скрутило. Этот голос!

Ира увидела, как прямо к ней, от столика с пенсионерами-доминошниками, топает мужик в тренировочных штанах, в стеганой куртке нараспашку. Полноватый, приземистый, лысоватый, с красным круглым лицом...

Это был Сергей тем не менее.

Первым делом он обратил внимание на машину, рядом с которой, привалившись к капоту, стояла Ира.

— Твоя? — коротко спросил он.

— Моя, — выдохнула Ира.

— Бли-ин... Шикуешь, как посмотрю. Отличная тачка, недешевая, — с видом знатока, но и вместе с тем недовольно произнес бывший муж. — А ты какими судьбами здесь, Ирк?

— Мимо ехала... А ты что тут делаешь?

— Что я тут делаю? Я тут живу. Ну ты даешь, мать! — захохотал Сергей.

Половина зубов у него были железными. Ира сглотнула. Заставила себя справиться со страхом, вернее — с приступом неконтролируемой паники. Напомнила себе, что этот человек теперь ей никто, и он не сможет причинить ей вред, ведь она — взрослая, самостоятельная женщина. Умная. Мудрая. С опытом. Знающая закон, умеющая теперь отстаивать свои права.

Если Сергей вздумает к ней хоть пальцем притронуться — она живо упечет его в кутузку!

— Надо же... Не думал, что еще тебя встречу, — продолжил Сергей. — Сколько лет-то прошло?

— Двадцать.

— Вот это да! Ой, Ирк, главное-то... Как там Машка? Вот ты бесчувственная женщина какая, могла бы позвонить как-нибудь, рассказать о дочери... Я ж отец ей!

Ира хотела сказать, что Маша живет прекрасно, замужем, счастлива, растит двух девочек, но потом поняла — ни единым словом не порадует этого человека.

— А я думала, ты давно спился и умер, — холодно произнесла Ира. — Потому и не звонила.

— Я умер?! — с уст Сергея сорвалось матерное словечко. Ира поморщилась — словно ступила невзначай в собачье дерьмо. И гадко ей так стало, чуть не до тошноты.

— Ну да. Я думала, что ты умер, — четко повторила она.

— Не дождешься! Вот ты, Ирк, как была сучкой, так и осталась... А я нормально живу, у меня семья, жена, сыну восемнадцать... У меня все путем, ничем не хуже других людей живу... Тачка вот только, может, не такая крутая. Но я ж не ворую, я честный человек.

— Я тоже не ворую, — возразила Ира, набрав в легкие воздуха. — Я сама зарабатываю. И на машину, и на квартиру свою, трехкомнатную, сама заработала. Два раза в год в отпуск езжу. Бали, Мальдивы, Доминикана...

— А поделиться не хочешь? — Сергея даже перекосило от зависти.

— Нет. Скорее даже наоборот, — улыбнулась Ира (а улыбка у нее, кстати, была безупречная, голливудская). — Я хочу на тебя, Сереженька, в суд подать. За то, что когда-то квартиры меня лишил. Пожалуй, отниму у тебя твою, ту, в которой сейчас живешь.

— Шутишь? — Сергей теперь побелел.

— Нет. Я серьезно. Ты думаешь, не смогу? Смогу. У меня связи есть, знакомства. Деньги есть, чтобы судиться и самого лучшего юриста найти. Тебя на выселки отправят, милый. Я ведь специально сюда приехала, чтобы тебе это сказать. А ты: «Ирк, ты, что ли?» — передразнила она. — Я, я это. По твою душу. С женой побираться пойдете. И сына твоего выселят, тем более, совершеннолетний он уже, закон его не защищает.

— Ах ты... — Сергей опять выругался. И даже замахнулся.

— Ну, ударь, ударь! Ты же умеешь это делать, — ласково произнесла Ира. — Вон сколько свидетелей вокруг, — она повела рукой. — А вон и видеокамеры. Ты у меня не только без квартиры останешься, а еще и в тюрьму сядешь.

Сергей был теперь уже не белый, а какой-то зеленовато-серый. Ира не собиралась с ним судиться, ей ничего не надо было от этого человека, но не поставить его на место она не могла.

Сергей быстро сменил тактику. Заговорил смиренно, ласково. Скороговоркой поведал, как он честно и правильно жил все эти годы. Из его речи Ира сделала вывод — новая жена держала его в ежовых рукавицах.

А Сергей торопливо делился подробностями, явно призванными разбудить в Ире добрые чувства — как они держали с женой автомастерскую в Челобитьево, честно работали и несколько лет жили хорошо, а потом конкуренты их под себя подмяли, и супруги вернулись в Москву, и теперь вот тут живут втроем, с сыночкой, в квартире покойного отца. И жестоко их теперь выгонять на улицу... Да и за что их выгонять, чем Сергей так обидел Иру?!

— А то ты не помнишь, — усмехнулась Ира. — Как ты пил, как ты бил меня, как сифилисом заразил... Как врал. Как проституток домой приводил, при ребенке. И как однажды... — она не договорила, горло перехватило при том воспоминании.

— Не было такого! — завопил Сергей. — Любите вы, бабы, наговаривать!

— Было, было, — переведя дыхание, снова сухо произнесла Ира. — Давай, вставай на колени. Извиняйся.

— Сдурела?

— Нет. А не извинишься, по миру пойдешь.

— Вот ты сука какая! — плачущим голосом закричал Сергей. А потом вдруг — бах, упал на колени и глухо забубнил, опустив голову: — Прости меня, дурака, за то, что я с тобой делал. Прости за все. Прости!

Весь двор с любопытством наблюдал со стороны за этой сценкой. Пенсионеры за столиком, забыв о домино, жадно смотрели, как их товарищ извиняется перед какой-то незнакомой женщиной.

— Ладно, живи, — отвернулась Ира. — Вдруг решишь объявиться — у меня или у дочери, — знай, я свою угрозу выполню, бомжом тебя сделаю.

Она оттолкнула Сергея, села в машину, нажала на педаль газа. И рванула вперед, как можно скорее, как можно дальше от своего бывшего мужа.

...Она была уверена, что никогда больше не увидит Сергея. Он и раньше не изъявлял желания встретиться, а теперь-то уж точно не появится. Даже если вдруг, случайно, увидит ее где на улице — свернет, убежит.

Потому что трус и подлец.

Женщине хотелось и плакать, и смеяться после этого разговора. В сущности, она ведь всегда хотела, чтобы Сергей покаялся, хотя бы формально. И Ира своего добилась, пусть и шантажом.

Несколько дней Ира места себе не находила, а потом потихоньку начало отпускать. «Я забуду его, если прощу. Да, это единственный способ избавиться от воспоминаний о нем, смириться со всем тем, что было в моей жизни. Я не смогу изменить своего прошлого, но только так забуду о нем. Если прощу…»

— Я тебя прощаю, — немедленно вслух произнесла Ира. — Я тебя прощаю, Сергей.

Это было ночью. Утром Ира проснулась уже новой, другой. Встала и, напевая, принялась варить себе кофе — утро воскресенья, никуда не надо идти.

Звонок в домофон.

— Мама Ира? Это я… Извините, что рано. Надо поговорить.

— Володечка? Ничего, я уже встала, поднимайся скорее!

Через минуту зять уже топтался в прихожей, стряхивая капли воды с плеч.

— Зонт забыл… А там дождь, — неловко пробормотал он.

— Сейчас и на тебя кофе сделаю. А все в порядке? — сердце у Иры вдруг сжалось. Зять выглядел скверно — бледный, с воспаленным взглядом, губы дрожали.

— Нет. Все очень плохо, мама Ира. Я ничего не понимаю.

— Маша заболела? Девочки? Да что случилось, говори!

Володя пожевал губами, а потом изрек:

— Маша меня бросила. Забрала девчонок и ушла.

Ира оцепенела. Потом встряхнулась:

— Володечка, да что ты такое говоришь? Маша ушла? Вы поссорились? Ну ничего, с кем не бывает... Ладно, разберемся. Ты оставайся тут, а я к ней поеду и поговорю. Помиритесь.

У Володи вдруг затряслись плечи. Он стоял, опустив голову, и рыдал.

— Кто кого обидел? Кто чего сказал? — затеребила его Ира. — Молодые, глупые еще...

— Вы не понимаете, мама Ира... Она... Маша ушла к другому. К другому мужчине, понимаете?

Меньше всего Ира ожидала подобного ответа. К кому Маша могла уйти, если Володя — идеальный муж? И вообще... Маша не могла совершить подобного поступка — она, порядочная, воспитанная... И детей еще взяла с собой?!

— Ты что-то путаешь. Этого не может быть, Володя.

— Она влюбилась, мама Ира. Она вчера вечером пришла домой, сказала, что встретила мужчину, что любит его и что уходит навсегда. Взяла девочек и уехала.

— Бред какой-то... И как же ты ее отпустил?

— Я не знаю, — тихо ответил зять. — Меня словно обухом по топору... обухом по голове. Парализовало. Я потом ночь не спал, все ждал, что Маша вернется.

— Ты ей звонил?

— Звонил. Но она на звонки не отвечает.

— Володя! Я поняла, — потрясенно произнесла Ира. — Ее похитили. Вернее, ее шантажом заставили уйти из дома.

— Точно! — дернулся Володя. — Господи, как мне сразу в голову не пришло... Надо срочно в полицию!

— Да! Срочно... — Ира выхватила свой мобильный, но, секунду помедлив, все-таки нажала на кнопку с номером дочери. В полной уверенности, что Маша ей тоже не ответит.

Но трубка отозвалась голосом дочери:

— Мама? Что так рано?

— Машенька... Машенька! С тобой все в порядке?

— Мама, со мной все хорошо. А... я понимаю. Ты с Володей говорила, — смех, чей-то игривый полушепот. Явно мужской голос. Ира, вытаращив глаза, с изумлением прислушивалась к звукам в телефонной трубке. — Да, я ушла от него. Я влюбилась, мам! Это так здорово...

— Маша!

— Мам, ты не волнуйся. Завтра встретимся, поговорим. Только умоляю, Володю с собой не бери, ладно? А то я развернусь и уеду.

Короткие гудки.

— Что? — дрожащим голосом спросил зять.

— Похоже, это правда. Говорит, что влюбилась. И голос у нее... — Ира хотела сказать — «счастливый», но передумала. — ...И голос у нее нормальный. Обещала встретиться со мной.

* * *

Встреча матери и дочери произошла в одном из кафе на Садовом. Маша появилась в зале одна, красивая и веселая. Цыганские ее глаза светились от счастья. Обняла Иру:

— Мамочка, не осуждай меня. Мне так хорошо!

— Значит, правда влюбилась... — потрясенно произнесла Ира. — Давно вы с ним знакомы?

— Нет. Три дня назад познакомились. Случайно, на улице, — ответила Маша.

— Три дня? Погоди-ка... Три дня?!

— Да, — спокойно ответила дочь. Заказала у официантки кофе, затем повернулась к матери: — Я никогда такого не испытывала. Я словно летаю... Я теперь — другая. И все вокруг меня — другое, новое. Я живая. Я живу, а не... а не существую.

— Машенька, ты с ума сошла... Миллионы женщин мечтают о таком хорошем муже, как Володя! Чем он тебе не угодил?

— А я не спорю, мамочка, Володя — прекрасный человек. Хороший муж, отец детям. Но я-то, я — хотела вовсе не этого, когда один день похож на другой... Когда семейная жизнь — это лишь череда распланированных событий. Свадьба, медовый месяц на теплом море, беременности, роды, кормление, садик, школа, оценки, выпускной у детей, выходные на даче, новая квартира, новая должность, детей в вуз запихнуть, пенсия, детей удачно сплавить замуж, отметить совместный юбилей с супругом, опять дача, и — смерть...

— И что в этом плохого?

— Все! Это как распорядок дня, только растянутый на десятилетия. Ни шагу в сторону. Все пункты должны быть соблюдены. Строгая последовательность. За выполнение каждого пункта — только хорошая оценка. Если где сплоховала, чего-то упустила — значит, жизнь уже не совсем удалась! — раздувая ноздри, произнесла Маша. — Противно. Это не жизнь людей, это жизнь насекомых.

— Машенька! А ты чего хочешь?

— Чтобы сердце билось, — не задумываясь, ответила дочь. — Чтобы восторг все время чувствовать. Чтобы было это самое ощущение полета... А с Володей я этого не чувствовала. Я с ним скучала. Скучала до такой степени, что даже скулы сводило. Все правильно, все идеально. Сердце ни на удар сильнее не бьется.

— А, поняла, — с горечью сказала Ира. — Ты страстей захотела. Но помнишь, Машенька, как у нас с твоим папой...

— Мой папаша — урод, — перебила дочь нетерпеливо. — С тобой, мама, просто затмение случилось — когда ты с ним связалась. А я влюбилась в мужчину яркого, сильного, благородного. Я знаю его всего лишь три дня, но я счастлива. Я за одни сутки рядом с ним испытала счастья больше, чем за девять лет жизни рядом с Володей.

«Ну вот... — обреченно подумала Ира. — И с Машей это случилось. А я так берегла ее, столько времени и сил потратила на то, чтобы объяснить — нельзя женщине терять голову, нельзя! И ведь как странно — только я об этом дураке, Сергее, забывать стала, сердцем успокоилась, как на тебе — теперь Машка голову потеряла! Одно за одним, ни дня покоя. Получается — нет счастья в жизни...»

— Как его хоть зовут, твоего принца? — спросила Ира.

— Его зовут Игорь, — улыбнулась дочь.

— А кто он по профессии?

— Так, бизнесмен... — неопределенно ответила Маша.

Ира хотела уточнить — в какой именно сфере вертится этот бизнесмен, но сбилась, думая о внучках. И совершенно напрасно сбилась, как потом выяснилось... Вместо этого она спросила:

— А дети сейчас с кем?

— Дети с его матерью. И няньку мы уже наняли.

— А где вы живете?

— В замке! — засмеялась Маша. — Правда-правда, в настоящем замке. За городом.

— А школа?!

— Да есть там школа, отличная. Закрытая. Словом, ты не волнуйся, мама. Ну все, мне пора. Меня ждут. Потом еще встретимся...

Дочь торопливо вышла из кафе. Ира повернула голову — там, за окном, на Садовом, стоял огромный черный джип с тонированными стеклами. Какой-то мордатый, лысый амбал в черном костюме распахнул почтительно перед Машей дверцу. Захлопнул, сел в машину. Охранник, водила, судя по физиономии и выправке. Не *он*.

Джип рванул с места, затерялся в потоке машин, едущих по Садовому.

А Ира так и осталась сидеть с открытым ртом. Кем он был, загадочный новый возлюбленный Маши? И чем сумел приворожить дочь? Ведь она была совсем не дурочкой, Маша, и мало что ее, достаточно искушенную, разборчивую, тридцати двух лет женщину — могло поразить, смутить, заставить перевернуть всю жизнь... Тем более, за столь короткий срок.

...Конечно, Ира рассказала все зятю. Все, без утайки, с обидными для него подробностями. А как иначе, он имеет право знать.

— В общем, я думаю, у нее снесло крышу, — в заключение произнесла Ира. — Это бывает с женщинами. Словно затмение... Обычно в молодости, но иногда, как в Машином случае, позже. И со мной когда-то случилось подобное. Я не знаю, дурь это или одержимость... Но это пройдет, рано или поздно, Володечка. И Маша сама раскается и поймет, сколько дров наломала. А ты держи себя в руках. Будь мудрым. Прости ее. Вот увидишь, Маша сама вернется к тебе, скоро.

— И девчонок увезла... — пробормотал Володя. — Это ж надо так меня возненавидеть! Скучно ей было, видите ли...

Володя обещал не сдаваться и выяснить все про своего соперника.

Прошло около двух недель. Маша звонила матери пару раз, счастливым голосом сообщала, что все в порядке. Было ясно, что «затмение» еще задержится на некоторое время.

Ира жила как на иголках, ждала...

Потом не выдержала, позвонила зятю — тот упорно вел свое расследование. И что же?

Володя сдавленным голосом сообщил Ире, что Маша связалась с бандитом.

У Иры чуть ноги не подкосились...

— Она точно спятила, — тем временем продолжал Володя. — Я, когда узнал это, попытался вернуть себе девочек. Ну да. Я стал угрожать Маше судом... И что же? Меня поймали возле подъезда, избили... Обещали убить, если я продолжу лезть не в свое дело.

— Володя...

— Да что Володя! — заорал несчастным голосом зять. — Она неблагодарная скотина, эта ваша Машенька! Эмоций ей, видите ли, захотелось...

Володя, тем не менее, попыток вернуть детей не оставил. На самом деле затеял суд, но ничего не получилось. Зять столько нервничал, переживал, что в середине зимы свалился с инфарктом, а ведь ему чуть больше сорока только было...

Маша же жила в подмосковном замке своего черного принца припеваючи, судя по всему. Когда звонила, изредка — то голос у нее был счастливый, безмятежный. Ира говорила и с внучками — те тоже особо несчастными ей не показались.

Володя весной сообщил, что развелся с Машей и больше не намерен с ней поддерживать отношений, даже ради детей. Зять был зол и заявил, что не собирается жертвовать своей жизнью ради этой негодяйки и ему проще раз и навсегда проститься со своей прежней жизнью.

А еще через некоторое время дочь пригласила Иру на свадьбу с этим самым загадочным Игорем.

Это было грандиозное, жуткое зрелище. Тьма народу в загородном ресторане, фонтан из шампанского, известные исполнители пели на сцене живьем... Господа в смокингах, дамы в потрясающих нарядах от кутюр. Причем дамы, как на подбор, были в большинстве грудастыми блондинками с ногами от ушей. Носились с воплями дети — тоже в шикарных нарядах, с навороченными гаджетами в руках... Новые друзья Кати и Лизы.

На первый взгляд все шикарно, на второй... Ира ловила обрывки разговоров солидных господ, пыталась болтать с грудастыми блондинками. Но чем дальше, тем больше у нее внутри рос страх. Она по прежней своей работе на рынке, главбухом, примерно знала эту публику и ничего хорошего не ждала. Это — другой мир. Это опасные люди.

Но, что хуже, Маше на все это было наплевать.

Она висела на своем Игоре и выглядела безумно счастливой. Кстати, Игорь — красавчик, настоящий мачо, словно только что с обложки мужского журнала. Неудивительно, что Маша потеряла от него голову. Он много говорил, смеялся. Не слишком образованный, но зато — абсолютно свободный внутри. И Маша с ним чувствовала себя свободной.

Оно и правда, они вместе — Маша и Игорь — выглядели вольно парящими птицами. Между ними все время шла какая-то игра, борьба, противостояние. Да, в подобных отношениях точно не заскучаешь.

Ира, как только увидела этих двоих вместе, сразу поверила в то, что дочь потеряла от Игоря голову с первых минут. От этого мужчины шло ощущение силы, необычайной энергии.

И, надо сказать, Игорь был в какой-то степени благороден — взял Машу с двумя детьми, хорошо все устроил, нанял нянек, завалил дорогими подарками... Потом устроил свадьбу, взял Машу в жены. Честь по чести.

После свадьбы Ира несколько раз ездила в замок молодоженов. Строго охраняемый поселок, каменные стены, видеокамеры, свора ротвейлеров, набыченные охранники... Роскошные интерьеры. Маша, конечно, не работала с тех самых пор, как сошлась с Игорем.

Лизу возили с охраной в школу, Катя сидела дома с Машей и нянькой. И с Раисой Викторовной, матерью Игоря, но о той следует рассказать отдельно, потом.

У девчонок было ВСЕ. И им многое позволялось — вероятно, именно поэтому они столь легко пережили перемены.

И все бы ничего, но Иру неотступно преследовала эта мысль, что ее новый зять — бандит. Отчаянный парень. В нем было много хорошего, вызывающего восхищение, но вместе с тем его вид вызывал в Ире страх. Вот так любуются диким зверем — красив, мускулы под шкурой играют, шерсть лоснится на солнце золотом, но чуть зазеваешься — горло тебе перегрызет.

А для Маши, видимо, это и было самым сладким — ходить по лезвию бритвы.

В сущности, в Игоре не было ни добра, ни зла, как позже решила Ира. Просто если он чего хотел, он это получал. И не думал о средствах.

Они были даже похожи, Маша и Игорь, словно брат и сестра. Два диких животных, играющих на поляне. Две птицы в свободном полете...

Только сейчас Ира поняла, что есть ее дочь, что за силы и страсти скрывались в ней до поры до времени.

О Раисе Викторовне, матери Игоря, проживающей вместе с ним. Это была невероятно полная женщина, с лицом, без всяких переходов перетекающим в шею, и подбородком, складкой лежавшим на груди. С чугунно-черными подглазьями. И она безбожно красилась — самой лучшей косметикой, естественно. Сама рисовала себе ярко-красные губы, выбеливала до алебастра щеки, рисовала на отечных веках черные тучи. Обожала бархат и парчу. Кружева и золото.

Раиса Викторовна выглядела столь чудовищно, что вызывала в людях посторонних оторопь и страх. А если еще и прибавить к тому ее мрачный, гневливый взгляд — то впечатление от нее было совсем уж гнетущим.

Раиса Викторовна, насколько поняла Ира, в своей жизни делала только то, что хотела. Ни о чем не жалела и ни о чем не переживала. Жила по принципу — после нас хоть потоп. Формально Раиса числилась православной, но по сути она была тоже вне добра и зла. Никаких душевных терзаний, рефлексий, размышлений о жизни... Животное — вот кем и она являлась. Разожравшаяся, ленивая медведица. Раиса позволяла себе все, словно не для нее были написаны заповеди, она вела тот образ жизни, который был ей удобен — и плевать на то, что артерии забиты холестерином и суставы с трудом работают.

На завтрак — эклеры из дорогого ресторана, на ужин — свиной эскалоп. Как следствие — многочисленные болячки, ожирение, диабет. Но своей вины Раиса не чувствовала, ругала докторов — те, видите ли, не могли ее вылечить, только деньги качали. Она сменила кучу врачей, каждый раз начиная лечение заново, а потом — не в силах продолжать его — бросала, потому что не терпела никаких ограничений.

Раиса любила только своего сына. На всех прочих людей ей было глубоко плевать. Иру Раиса презирала. За что? А ни за что. «Сучка же интеллигентская», — однажды, за своей спиной, услышала Ира вердикт в свой адрес. Но скандалить с Раисой не стала — ради Маши.

А Маша ничего не замечала... К самой Маше Раиса относилась вполне терпимо, выбор сына она уважала. Кроме того, Маша уже ждала ее внука...

Да, да, через некоторое время Маша родила мальчика. Костей назвали, по святцам.

Игорь был вне себя от счастья, завалил жену подарками, какими-то немыслимыми бриллиантами...

И надо бы уже Ире успокоиться, смириться с происходящим, но — не могла. Потому что знала — ничем хорошим все эти страсти не могут закончиться. Потому что столкнулись два характера. Эмоциональная, страстная Маша, которая наверстывала все упущенное в юности, и он, Игорь, отчаянный и не признающий никаких ограничений.

Любовь — это зло, вот такой вывод сделала Ира в зрелые свои годы. Все несчастья и трагедии от нее, и только глупые старые девы, да несчастливые разведенки (как будто собственный опыт их ничему не научил!) — любят романы с хеппи-эндом, где герои женятся.

На самом деле, правильный хеппи-энд — это когда герои, наконец, расстаются и живут в одиночестве и покое. Не колотятся в страстях, не разбивают сердца своим родным и близким, наломав дров...

И что?

Так оно и вышло, как предчувствовала Ира.

Умер Володя, не вынеся переживаний. Он ведь был очень чувствительным человеком — из тех как раз, кто много думает и переживает, сам себя и съел, получается. За первым инфарктом последовал второй, а потом и третий. И крепкий на вид, еще относительно молодой мужчина — ушел из жизни. Его хоронила Ира, на кладбище были только она и девочки — их привезли туда на очередном черном джипе, под охраной одинаковых амбалов. Привезли и тут же увезли... Хорошо, что Маши там не было, а то бы Ира ей все высказала...

Потом Маша, ревнивая и страстная, вздумала следить за Игорем — и получила от него по шее. Буквально — молодой женщине пришлось с месяц ходить в ортезе, таком специальном ошейнике. Нравы в том мире были довольно жесткие, и женщина должна была знать свое место... естественно, Маша обиделась.

Они и раньше с Игорем ссорились, спорили, но как-то без злобы; если можно так выразиться — в поисках истины. Маша много читала, заставила и Игоря прочитать пару книжек, потом они бурно обсуждали прочитанное...

Новые же споры позитива в себе не несли. Они являлись разрушительными, бессмысленными, когда один из пары желал подчинить другого, а тот сопротивлялся. Маша, изнывающая от скуки (не работала, если куда и выбиралась, то только под конвоем из амбалов), безумно ревновала мужа. А Игорь и долей своей свободы не желал пожертвовать, ведь он, по его понятиям, и без того позволял Маше многое (что правда, поскольку большинство из блондинистых грудастых жен в том мире свое место знали).

А потом случилась какая-то криминальная разборка (в подробности Иру, естественно, никто посвящать не стал), и Игоря ранили, причем серьезно. Маша буквально не отходила от мужа, пылинки с него сдувала, а тот называл ее ангелом-хранителем. Пока Игорь лежал в больнице, все было превосходно.

Но затем Игорь выздоровел и решил мстить своим обидчикам. Развернулась своего рода война, и Маша вздумала отговаривать Игоря от решительных действий. А Игорь не терпел, когда ему указывают. Они стали с Машей отчаянно скандалить, и несколько раз он ее избивал.

Причем, как поняла Ира, ее дочь сама лезла на рожон, провоцируя мужа. Скандалы сменялись бурными примирениями.

Когда маленькому Косте исполнилось три года, Маша вздумала ему подарить пони — настоящего, живого.

К несчастью, пони оказался злобным, мстительным животным, совершенно не поддающимся дрессировке. Он укусил Костю за руку, серьезно повредил ее — пришлось долго лечить... Но до того Игорь застрелил пони, а потом избил Машу — за то, что вздумала подарить мальчику животное, оказавшееся опасным.

Ира уже и не знала, за кого ей переживать — за внука, за дочь ли... Зять, Игорь, внушал ей страх, поскольку, как выяснилось, в своих страстях был совершенно неуправляем и ничем себя не сдерживал.

Маша совершенно забросила воспитание девочек, и те росли, как трава под забором.

Однажды Ира приехала к Маше и принялась всерьез уговаривать дочь уйти от мужа. Но это было совершенно невозможно... Игорь, по своему продолжавший любить жену, пригрозил — вздумает жена уйти, он Машу «на иглу» посадит, и она закончит свою жизнь героиновой наркоманкой.

Маша плакала, не знала, что ей делать, но при всем при том — продолжала любить мужа этой странной, извращенной любовью.

Они бы точно друг друга поубивали — либо Игорь забил Машу до смерти, либо Маша отравила Игоря, но тут произошло новое событие.

Поскольку Игорь отличался характером несдержанным и упрямым, он умудрился поссориться с каким-то очень важным криминальным авторитетом, с которым ссориться никак нельзя было, а тот — решил Игоря наказать.

И что случилось? Игоря посадили, приписав ему все возможные существующие и несуществующие грехи. Посадили аж на двадцать лет.

Ира хотела обрадоваться, но не тут-то было. Маша рыдала, ездила к мужу в тюрьму, чуть не побег ему пыталась устроить...

Ира вела долгие разговоры с дочерью, умоляла ее одуматься, ведь эта любовь была слишком разрушительной, губительной для всех... Умом Маша понимала, что мать права, а сердце ее по-прежнему рвалось к Игорю.

Чего только Ира не предпринимала! Водила дочь к психологам, психотерапевтам, экстрасенсам... Однажды, случайно, узнала об одном докторе, психиатре, обладающем даром магнетизма. Грек по национальности, с бездонными черными глазищами — его голоса беспрекословно слушались что люди, что животные.

И вот он, именно он сумел помочь Маше. Поговорил с ней, велел успокоиться — и вроде ничего особенного и не сказал, но Маша удивительным образом после сеанса с ним изменилась.

Раз — и одержимость сошла с нее. Исчезла любовь к Игорю, исчезло наваждение!

Ира обрадовалась до безумия, когда Маша заявила, что разводится с Игорем и переезжает с детьми к матери. Но тут Ира совершила одну ошибку... надо было молча, без лишних разговоров выехать из подмосковного замка. Но Ира вздумала напоследок высказать матери Игоря, Раисе, все, что она о ней думает.

А накопилось в душе у Иры многое. В сущности, эта жирная, эгоистичная бабища была виновата в том, что случилось с ее сыном. Игорь, если подумать, не таким уж плохим мужиком был... Даже жалко его. И это его мамаша с ее принципом — после нас хоть потоп — исковеркала характер Игоря, а значит и судьбу. Высказала Ира и то, что думает о характере и жизни самой Раисы, живописала, каким безобразным чудовищем выглядит Раиса со стороны...

И то, что Раисе не позволено будет видеться с Костей, своим внуком, поскольку ей и на пушечный выстрел нельзя подходить к детям. Словом, Ира отыгралась за все.

Уехали они в Москву, Раиса не смогла их удержать, поскольку после того, как посадили Игоря, главной в доме оказалась Маша.

Уехали. Маша устроилась на работу, в издательство, девочки пошли в новую школу.

И новое событие — Игоря в тюрьме убили. И опять и жалко его, и облегчение — ну вот, теперь-то уж точно совсем свободны! Маша поплакала, конечно, но как-то без надрыва. Верно, тот грек-психиатр являлся настоящим волшебником!

Свобода длилась всего две недели.

Потом исчез Костя. Прямо с детской площадки. Маша отвернулась на мгновение — и нет мальчика!

Полиция, розыск... Скоро стало понятно, что к похищению причастна Раиса — поскольку та тоже исчезла без следа. Вероятно, потеряв сына, поняла, что лишилась всего, ведь и общение с внуком ей запретили, и ее мстительная, эгоистичная натура взбунтовалась...

А деньги у Раисы были, то, что осталось от сына. Маша к этим деньгам и не притронулась, надо сказать. (Отказалась от всего, не столько из альтруистических побуждений, сколько из страха.)

Костю так и не нашли. Следователь говорил, что старуха, скорее всего, вывезла мальчика за границу.

Ира плакала, корила себя — за то, что была несдержанной с Раисой. Маша чувствовала себя раздавленной.

Чем дальше, тем сильнее Маша раскаивалась в своем поступке — что связалась с Игорем. Ведь сколько потерь вызвал этот союз... Девочки потеряли родного отца, и она, Маша, потеряла сына. А счастье, то безумное женское счастье, от которого крылья вырастают за спиной, — длилось так недолго...

Однажды Ире в руки попалась интересная книга. История одной немки из Швейцарии, написанная ею самой. Эта немка, образованная, вполне обеспеченная, со всех сторон нормальная, однажды отправилась в путешествие по Африке.

Там она где-то в кенийской деревне увидела воина-масаи, влюбилась в него. Бросила все, продала бизнес, осталась в Кении. И чего только не натерпелась, чтобы быть рядом со своим воином. Чудовищные условия жизни, дикие нравы, болезни... Странные обычаи —

женщины там, например, писали стоя, и моча текла по их ногам. Никаких благ цивилизации. Даже туалетной бумаги не было — приходилось подтираться камнем. Докторов нет. Немка едва не умерла, заболев гепатитом во время беременности и т.д. и т.п. А интимная жизнь супругов? Совершенно странная, непривычная, дикая для европейского человека...

Немка промаялась со своим масаи четыре года, а потом вернулась с дочкой к себе на родину. Книга так и называлась — «Одержимая» (другое название — «Белая масаи»).

И в самом деле, что, если не одержимость, заставляет женщину быть с мужчиной, рядом с которым она испытывает муки и лишения?

Под конец своей жизни Ира окончательно убедилась в том, что любовь — это нечто вроде психической болезни. Любить — нельзя, все равно все закончится плохо. Чем сильнее страсть в начале отношений, тем больше скандалов и драм в конце. Более-менее счастливы только те пары, которые осознанно вступают в брак и понимают, что брак и любовь — совершенно разные вещи. То есть, конечно, люди с симпатией друг к другу относятся, уважают, и все такое... Но не колотятся в диких страстях, спокойны.

Вот только тогда получается что-то путное из семейной жизни...

Однажды Ира простудилась, а слабый организм ответил осложнениями. Она умерла в одночасье. Причем, самое интересное, умерла со счастливой улыбкой на устах.

Дочь, Маша, провожая мать в последний путь, могла только гадать, что перед смертью вспомнила та, что могла увидеть в бреду.

А Ира увидела вот что.

Ранняя осень. С деревьев сыплется золотая листва... А под деревьями ходит молодой мужчина, улыбается нахально и белозубо.

А она, Ира, стоит неподалеку, смотрит на этого мужчину, и сердце у нее замирает. И чувствует, как крылья за спиной вырастают...

Почему Ира вспомнила перед смертью тот день, когда впервые увидела Сергея? Непонятно. Может быть, потому что ничего ярче этого воспоминания, ничего другого, сравнимого по силе переживаний — в жизни Иры не было.

И именно оно, это воспоминание, пронеслось перед глазами немолодой уже женщины в тот последний, смертный миг.

НА ОТМЕЛИ

—Димка, Димка, Димка!— доносился из окна пронзительный Наташкин крик. Я молчал, не отзывался. Надоела.

Не удовлетворившись рысканьем по пляжу, она решила заглянуть к нам в домик, так что я едва успел юркнуть за приоткрытую дверь.

— Димка!— услышал я рядом с собой ее раздраженный, умоляющий голос. Слава богу, в доме она обыска не устроила, только попыхтела немного и тут же затопала обратно. Я выглянул в окно — она бежала в сторону столовой. По ее сердитому бегу я догадался, что она будет искать меня у молоденьких поварих-стажерок. Хм, нужны они мне, эти крикливые пэтэушницы.

Я быстро схватил полотенце, плеер с кассетами и был таков. Свобода плеснула мне в лицо свежим морским ветром. Минут двадцать я шел по берегу, пока не набрел наконец на старый, заброшенный пляж. Вдали темнели унылые рыбацкие домики, людей не было. Это местечко меня вполне устраивало.

Я надел наушники и лег на полотенце. Слушал свой любимый «Пинк Флойд», смотрел в невероятно синее небо и думал о том, что в нынешнее время, пожалуй, самой большой роскошью является одиночество.

Я сибаритствовал таким образом около часа, пока наконец не заметил, что на этом пляже я уже не один. Метрах в двадцати от меня загорала какая-то девица, такая красивая, что она показалась мне сначала миражом. Она читала какую-то книгу, не обращая ни на что внимание, и, таким образом, мне удалось ее хорошенько разглядеть. Настоящая кошечка — изгибы, формы и все такое. Роскошные каштановые волосы. Мысленно я назвал ее Гала, Галарина — так звали жену Сальвадора Дали, на которую сильно смахивала моя незнакомка. В Москве у меня над кроватью висел календарик с рисунками Дали, и эту Галарину я знал как облупленную.

Словом, я уже всерьез собирался с ней познакомиться, когда вдали вдруг показалась знакомая фигура — худая как смерть, со стрижеными и крашенными под морковь волосами. Наташка. Она неслась ко мне на всех парах, поднимая тучи песка своими конечностями, и орала:

— Ты где это шляешься, урод!

Конечно, после всех этих воплей Галарина и смотреть на меня не захочет, не то что знакомиться. Я с безнадежным вздохом улегся на спину и закрыл глаза. Руки я сложил на груди.

— Уйди, дура, — сказал я Наташке так спокойненько, не открывая глаз. Господи, а Галарина была так близко, совсем рядом...

— Что значит «уйди, дура»?! — опять заорала Наташка. — Твоя мать тебя ищет, с ума сходит!

Как же, ври. Моя мама, всегда придерживавшаяся спартанских принципов воспитания, не могла сходить с ума. Меня-то и не было всего час. Обронила небось случайно: «Где это мой охламон носится?» — а Наташка и рада все с ног на голову перевернуть. Я догадывался, почему она сейчас так орет — мою Галарину заметила и, конечно, хочет меня выставить перед ней в самом невыгодном свете. Испортила мне все, дрянь такая.

Я встал, подхватил полотенце и спортивным шагом направился к дому. Наташка, растянув рот в злорадной улыбке, торопливо засеменила за мной. Минут десять мы шли молча — меня переполняла ненависть, а Наташка, я знал, торжествовала втихомолку. Как она могла мне нравиться раньше? Впрочем, нет, она никогда особо мне не нравилась. После того единственного поцелуя она решила, что имеет какие-то права на меня.

Нет, правда, один поцелуй еще ничего не значит. Просто тогда был особенный день, такой красивый — светлый, легкий, только последний дурак не восхитился бы им. Мы были так близко, Наташкины волосы пахли морем, солнцем — ну, я и поцеловал ее. На самом-то деле я поцеловал этот день, но женщины так глупы...

— Я знаю, чего ты так бесишься. Ты в меня влюбилась и ревнуешь ко всем подряд, — сказал я.

— Я? Влюбилась?! — Наташка сделала круглые глаза и расхохоталась ненатурально. — Глупости какие...

— Тем не менее это правда. Ты ревнуешь — я видел, как ты искала меня у поварих, как ты смотрела сейчас на эту девчонку на пляже.

Наташка побледнела, покраснела, потом забежала вперед меня, уперев руки в боки.

— Идиот, кретин, только тебе в голову могли прийти такие дурацкие мысли...— зашипела она мне прямо в лицо. — Надо мне было смотреть на ту кикимору!

Кикимору! Это она о моей Галарине! О встрече с которой я мечтал тысячу лет, не давал маме сменить старый календарь с рисунками Дали, все смотрел, смотрел на Галарину, даже не мог надеяться, что когда-нибудь увижу ее въяви... Я толкнул Наташку изо всех сил, отчего она плюхнулась на песок.

— Ты меня ударил. Ты поднял руку на меня...— из глаз ее моментально покатились огромные слезы. Но меня это мало тронуло — теперь-то она не посмеет бегать за мной. Не оглядываясь, я быстро зашагал вперед.

В столовой, за обедом, Наташка сидела мрачная, ни с кем не разговаривала. Ее мамаша смотрела на меня кислым взглядом.

Послеполуденный жар был особенно тягостен, невыносим. Но я пренебрег дневным отдыхом, я отправился на поиски Галарины. Мне казалось, что она тоже не желает прятаться от зноя, что она тоже ощущает это беспокойство, приближение чуда.

Но на старом пляже никого не было, не было вообще ни одной живой души, только желтый песок плавился под солнцем, а море лазурью набегало на него, пыталось остудить.

— Сиеста, — произнес я вслух, представляя сон Галарины, — сиеста...

Я свернулся калачиком под каким-то чахлым кипарисом и задремал.

Я открыл глаза, когда жара уже спала, когда уже наступил ласковый ранний вечер. Я не считаю себя особо чувствительным человеком, да и стыдно быть мужчине чувствительным, но эти ранние и тихие южные вечера всегда вызывали во мне какое-то ностальгическое настроение. Я искупался, надел наушники и лег на песок, уже потерявший свой дневной накал.

На закате, глядя на море, хорошо слушается только «Пинк Флойд» — со своей тягучей, бесконечной, замирающей музыкой. Я слушал «Пинк Флойд», глядел на море и ждал Галарину. И мне казалось, что день этот длится вечно, и что я вообще бессмертен.

В девятом часу солнце стало садиться за горизонт. Я знал, что скоро станет темно, но уходить просто так мне не хотелось. Вдоль берега шел какой-то местный. Местных всегда можно было легко отличить от отдыхающих. Вот и этот шел среди золота и лазури в темном потрепанном костюме, в бесформенных кирзачах.

— Эй, мужик! — крикнул я. Он остановился, посмотрел на меня строго. — Лодку достать можешь?..

Мы сговорились на сумме, примерно соответствующей бутылке портвейна в местном магазинчике. Но доверить мне одному лодку мужик не захотел, поставил условие — катать меня будет он сам.

Солнце уже село, но небо было еще розовым, когда мы в лодке отплыли от берега.

— Куда грести-то? — насмешливо спросил мужик.

— В море, потом обратно...

Было душно, жарко, над водой курился легкий туман. Если б спутник мой заговорил сейчас со мной, то я бы приказал ему немедленно повернуть к берегу. Но он молчал, смотрел куда-то в сторону — наверное, был человеком понимающим. Только плеск весла нарушал тишину, какой-то особенно громкий в этом тумане.

Было хорошо, слишком хорошо, даже подкатила какая-то грусть. Я подумал, что в Москве уже наступили холода, с середины августа началась осень. Я не хотел осени, я не хотел Москвы, я хотел только одного — жить здесь, у моря, и чтобы было вечное лето.

С моим молчаливым спутником мы катались долго, гораздо дольше уговоренного — до тех пор, пока не наступила ночь и лунная дорожка не перечеркнула волны надвое.

— Романтика! — с чувством сказал мужик, втаскивая лодку на берег. Я безоговорочно согласился с ним.

Дома никого не было. После недолгих раздумий я отправился в клуб, где гремела дискотека. На этих южных дискотеках в домах отдыха всегда собирался стар и млад — от грудных младенцев до глубоких стариков. Так и есть — среди трясущейся толпы я нашел свою маму с Наташкой и с Наташкиной маман, отплясывающих в одном кругу рэп. Я тоже немного поплясал с ними (причем Наташка строила презрительные гримасы и норовила повернуться ко мне спиной). Но Галарины на дискотеке не было, и я ушел.

Странно, я надеялся найти ее ночью, тогда как не мог найти ее даже днем. Я бродил среди домиков, в которых жили отдыхающие, и заглядывал в освещенные окна. Ее нигде не было, не было, не было...

Час ночи. Вконец отчаявшись, я побрел на заброшенный пляж. Я шел туда со странным чувством — ну, как будто я волшебник и все могу, вот стоит мне только захотеть — и я встречу там Галарину.

Было светло как днем — по небу плыла полная луна. На пляже никого не было, только что-то белое лежало на песке. Я подошел ближе — это была забытая кем-то простыня. Вот и все... Можно со спокойной совестью идти домой и ложиться спать.

Громко плеснула волна. Я оглянулся и увидел Галарину, идущую в воде посреди лунной дорожки. Она была одна, без одежды... Без купальника то есть.

Я поднял простыню, стряхнул с нее песок и протянул ее навстречу выходящей из воды Галарине. Она молча подставила мне плечи, закуталась и села на отмели. В лунном свете блестели капельки воды на ее волосах, блестели зубы, насмешливо блестели глаза. Я понял, что она меня узнала, что она вспомнила мою с Наташкой перебранку на этом пляже.

— Какая теплая ночь, — сказала она.

— Теплая...

Теперь, так близко, при лунном свете, она была еще больше Галариной.

— Если хочешь, посиди со мной.

Мы долго сидели молча, смотрели на море, на полную луну, на беспорядочную россыпь звезд вокруг нее.

— Сколько тебе лет? — спросила она.

— Семнадцать. Это не так ведь мало, правда?

— Правда. Я дала бы тебе больше. Ты очень красив. Та девушка... она твоя сестра?

— Нет, она мне никто. Никто.

— Это хорошо... Такая теплая ночь...

Потом мы пошли купаться. Меня поразило, как тепла была вода, даже горяча. Галарина по воде протянула ко мне руки, обняла меня за шею. Странная робость сковала меня. Я знал, что мужчины не должны себя так вести, что в таких ситуациях надо быть смелым и напористым, но во всем происходившем сейчас было что-то такое... Словом, я знал еще и другое — то, что я буду вспоминать об этой ночи всю жизнь, наверное, даже перед смертью.

— А мне двадцать два. Я старше тебя на пять лет.

— Ну и что. Женщины в среднем живут дольше на пять лет.

— «Они жили долго и умерли в один день...» — ты это хочешь сказать?

— Ага. Я женюсь на тебе.

Галарина сделала большие глаза и с размаху бросилась на спину, поднимая вокруг себя тучи брызг. Она смеялась так весело, совсем не обидно.

— Здрасте! — наконец смогла она выговорить сквозь хохот. — Ты же меня только день как увидел, ты же меня совершенно не знаешь!

— Нет, я знаю тебя уже тысячу лет...— Я подплыл к ней, поймал ее в воде, как рыбку, и стал рассказывать про Дали, про календарик над моей кроватью — там, в Москве.

— Так, значит, меня зовут Галариной?

— Да.

— Господи, как красиво! Сколько романтики в этом юном существе. Ни в ком не встречала столько романтики. А вдруг...

— Что?

— А вдруг ты и есть тот единственный мужчина... Тот единственный мужчина, с которым я могу быть счастлива? И что эта ночь — как подарок судьбы. Ну вдруг, вдруг?

— Я верю в это.

Потом, на берегу, мы кутались в мокрую простыню. Было холодно, весело и как-то особенно легко как тогда, когда знаешь, что впереди будет только хорошее. Мы легли на песок, еще хранивший тепло дневного солнца. Я хотел сказать Галарине, что со мной это в первый раз, но она прикрыла мне рот соленой ладонью...

На рассвете Галарина разбудила меня, молча показала мне свои руки, покрытые синими мурашками. И вправду, было жутко холодно, и не подумаешь, что это юг.

— Встретимся вечером, здесь же, — сказала она, — очень хочется спать.

Мне пришлось согласиться с ней, хотя я знал, что не смогу уже заснуть. По дороге к дому меня посетили странные мысли и чувства, точно я повзрослел за эту ночь лет на десять.

Мама спала. Она промычала что-то сердитое, когда я на цыпочках прокрался в комнату. Я вытащил спортивный костюм из чемодана и быстро выбежал обратно. Переоделся я на улице — благо было еще очень рано, людей не наблюдалось.

Тихонько стукнул в окно соседнего домика. Показалась заспанная Наташкина маман. Я показал ей знаками, что мне нужна Наташка. Маман сделала круглые глаза и скрылась в глубине комнаты.

Через минуту на крыльцо вышла сама Наташка, кутаясь в одеяло.

— Чего тебе? — неприветливо спросила она.

— Я хотел попросить у тебя прощения, — быстро сказал я, — знаешь, я был страшно не прав.

В ответ она хмыкнула недоверчиво, но я видел — сердитые морщинки на ее лбу разгладились.

— Значит, мир? — я протянул ей руку.

— Мир! — рассмеялась она, вытаскивая свою руку из-под одеяла. Мы пожимали друг другу руки и хохотали во все горло. Но вдруг Наташкин смех резко оборвался и она посмотрела на меня долгим, пронзительным взглядом.

— Ты не ночевал дома? — Мне ничего не оставалось, как молча кивнуть. Врать я совсем не хотел. — А где ты был? — продолжила свой допрос Наташка. — Ты был с той девицей, ведь правда?

— Правда.

Наташка посмотрела на меня с ужасом и отвращением.

— Иванов, а ведь я действительно тебя любила.

— Что же мне теперь делать?

— А ничего, — она зевнула нервно. — Продолжай в том же духе. А еще, Иванов, я давно тебе хотела сказать — ты большой лопух. И мой тебе совет, дружеский такой — будь осторожнее. У той девицы на роже было написано, что она хищница. Поиграет с тобой и бросит, побежит за новыми штанами. А ты, Иванов, чувствительный у нас. Ро-ман-ти-чный. Переживать будешь, убиваться...

— Ладно тебе, — махнул я рукой и ушел. Голова у меня болела, на сердце было тяжело. Наташка, конечно, не права — никакая Галарина не хищница...

Солнце уже начинало раскаляться. Я скинул свой костюм, только что гревший меня так приятно. Лег на песок возле воды, посмотрел на ослепительно синее небо. Сжал в горстях песок. И против воли из моей груди вырвался стон...

> Приляг на отмели. Обеими руками
> Горсть русого песку, зажженного лучами,
> Возьми и дай ему меж пальцев тихо течь.
> А сам закрой глаза и долго слушай речь
> Журчащих волн морских, да ветра трепет пленный,
> И ты почувствуешь, как тает постепенно
> Песок в твоих руках. И вот они пусты.
> Тогда, не раскрывая глаз, подумай, что и ты
> Лишь горсть песка, что жизнь порывы волн мятежных
> Смешает, как пески на отмелях прибрежных.

Анри де Ренье. Пер. с фр. М. Волошина

МАРУСЯ

Дик Уэбстер жил в России уже пятый год, он был торговым представителем одной известной фирмы. Летом у молодого человека заканчивался контракт, и он собирался вернуться домой, в Америку, в свой родной Литтл Рок. У Дика с детства была заветная мечта — открыть у себя дома небольшой ресторан...

Он уже давным-давно знал, как будет выглядеть его ресторанчик, как он будет оформлен внутри, какие блюда будут подаваться и на каких тарелках. Дик с помощью друзей, заочно, даже подыскал себе повара для своего ресторанчика — классного парня из Нью-Йорка. Этому повару до смерти надоел большой город, и он мечтал жить в провинции, Литтл Рок для него был — то, что надо.

Пять лет в России позволили Дику накопить нужную сумму. Тем, кто здесь работал, платили хорошо — Russia считалась страной далекой, загадочной и опасной. Впрочем, Дик скоро привык к ней, и его контракт не был ему в тягость. Но он часто с улыбкой вспоминал те времена, когда он только собирался покинуть свою родину. Его близкие были просто в ужасе, мать плакала накануне отъезда. Дядюшка, отставной полицейский, подарил ему свой бронежилет, строго-настрого наказав ходить только в нем по опасным московским улицам. А тетя Мэг пугала племянника дикими русскими обычаями. Кузина Полли, бросив четырех детей, специально прилетела в Литтл Рок из Канады. Она привезла авиационное снаряжение своего покойного мужа, когда-то работавшего на Аляске, — мохнатый эскимосский полушубок, меховые сапоги, шерстяное белье, при взгляде на которое любого невольно пробивал пот, и главное — огромные медвежьи рукавицы. Дик поцеловал Полли в дрожащую, уже покрытую мелкими морщинками щечку и сказал, что теперь ему нечего бояться. Отец очень торжественно преподнес новенькую Библию.

Дик прилетел в Москву в начале бабьего лета. В октябре он уже снимал на любительскую видеокамеру драки футбольных фанатов, забыв под кроватью бронежилет, в ноябре научился залпом пить водку, а под Новый год ходил по Тверской без шапки и демонстративно лизал пломбир своим розовым языком.

Дик жил в квартире, недалеко от центра, которую для него снимала фирма. К следующему лету в этой квартире частой гостьей стала Машка. Машка была еще совсем юной девушкой, черноволосой, смуглой и жестокой. Ее предки назывались казаками. В постели она была — африканкой.

Итак, жизнь в чужой стране казалась вполне славной, милой, веселой, приятной и интересной. Только в самом дальнем, темном закоулке Диковой души прятался маленький, неопределенный такой страх перед этой Russia, словно свой главный секрет она перед ним еще не раскрыла.

Последнее лето было особенно удивительным. Дик экономил деньги — в свой отпуск он решил не ездить домой, а провести это время с Машкой. У Машкиных родителей была дача под Рязанью. В такой невообразимой глуши, что у Дика, когда он понял это, даже дух перехватило. Вонючий деревянный сортир. Ржавый душ, вода в котором нагревалась от солнечных лучей, а из-под скользкого пола вечно несло мыльной плесенью. Продуктовая лавка за пять километров. Пьяные трактористы и суровые доярки. Старинное дворянское кладбище с покосившимися крестами. Пруд, в котором плавала чудовищная рыба под названием «сом». И леса, леса, леса... Дик подумал, что не выживет тут и дня, но рядом была Машка...

По ночам в старом доме что-то громко трещало. Вишня ветвями скреблась в окна, и казалось, что это просятся в гости покойники с дворянского кладбища.

Утром вся семья собиралась вместе на веранде. Машкин отец, с остренькой бородкой, в пенсне, очень похожий на одного известного русского писателя, читал прошлогоднюю газету. Худощавая, не по возрасту унылая мать разливала чай из облезлого самовара, который Дик в первый же день договорился поменять на отличный электрический чайник. Школьник Василий, младший брат Машки, сам с собой играл на углу стола в поддавки.

После завтрака вся семья разбредалась кто куда. Дик с Василием запускали воздушного змея, потому что Машка в это время обычно рисовала. Мешать ей ни в коем случае было нельзя — иначе она начинала щипаться, да так больно, до черных синяков, что каждый раз после этого Дик давал себе железное слово бросить ее.

Машка рисовала странные, уродливые и в то же время удивительно забавные пейзажи, вихрь зеленых, голубых и белых пятен. Однажды она нарисовала Дика на фоне пруда, но получился и не Дик вовсе, а какой-то водяной из местного фольклора, с синими волосами и желтой грудью. Дик пришел в такой восторг от этого рисунка, что Машка тут же подарила ему его. Машка закончила Строгановку год назад.

— Повесишь у себя в ресторане, — сказала она.

— О! Ты будешь мой личный художник! Мы откроем в Америке галерею с твоими рисунками! Ты безумно, безумно талантлива...

— Держи карман шире.

— Очередная поговорка, yes?..

Она ходила в длинном, желтом платье с вечными следами акварели, и, когда стояла против солнца, сквозь легкую ткань были видны ее тонкие смуглые ноги.

Поздними вечерами они катались на лодке. Машка рвала лилии и рассказывала всякие истории о нечистой силе. На середине пруда Дик бросал весла и принимался взглядом искать сома. В черной воде плавали огромные черные тени.

В июле они в малиннике наткнулись на самого настоящего медведя. Увидев людей, медведь хрюкнул, как свинья, и удрал. Машка посмотрела на Дика и рас-хохоталась — у него волосы на голове стояли дыбом.

— Я никогда, никогда такого не видела! Я думала, это люди придумали! Как будто через тебя ток пропу-стили...

— Поговорка, yes?..

Они гуляли по лесу, искали грибы. Потерявшись, Машка звала Дика:

— Рича-ард! — И странно звучало это чужое имя в кондовой рязанской глуши.

— Маруса-а! — зычно откликался Дик. — Ау-у!..

Он сохранил об этом лете самые прекрасные вос-поминания.

Осень была быстрой и светлой, а в конце ноября в Москве выпал первый снег. Он лежал недолго, растаял к вечеру.

— Какая ж это зима, мать вашу бабушку! — возму-щался Дик. — Совсем даже неинтересно.

А в декабре вдруг грянули морозы.

Такое бывало и в другие зимы — минус двадцать держались пару дней, и Дик надевал тогда шапку, и мазал нос специальным кремом, и молодцевато крякал на ледяном ветру, и торопил Машку поскорее добежать до какого-нибудь «заведения» — выпить водки... Но сейчас был совсем другой мороз.

Снега не было, и над белым, страшным асфальтом медленно переливался свинцовый туман. Из колодцев валил густой пар. Стены домов покрылись толстенным слоем инея, и уличный шум звучал как-то по-особому, словно воздух превратился в прозрачное ледяное желе. Дети не ходили в школу. У Дика тоже были каникулы на время холодов. Он слушал новости, и даже дикторы ужасались такой невероятной погоде.

Машка назначила ему свидание возле метро.

И тут-то пригодились подарки доброй Полли. Люди оглядывались на Дика. Он шел сквозь свинцовый туман как северный бог — огромный, в огромном полушубке, огромных унтах, прижимая к груди чудовищных размеров рукавицы, и его красный нос торчал торжествующе из-под меховой шапки.

Машки еще не было.

Дик нырнул в ближайшую дверь — это была булочная в старом доме, со старыми, деревянными еще рамами, и встал у белого окна. Он надышал небольшую дырочку на стекле и стал смотреть в нее. У Дика было прекрасное настроение — человека, который рискует, но ничего не теряет. Он снял рукавицы и машинально нацарапал ногтем рядом с дырочкой — «мароз». И рядом — «Маруся». А потом дописал третье слово — «Russia»...

В клочьях седого пара из метро вынырнула Машка, в рыжей лисьей шубе, толстом синем шотландском платке. Дик из булочной вышел ей навстречу.

— Только не дыши глубоко! — крикнула она. — Легкие заморозишь.

Дик хотел сказать ей, что она очень заботливая и что он очень ее любит, но Машка дрожала, и Дик потащил ее к ближайшему бару, который тусклым неоном рассеивал ледяной мрак.

Они заказали водки, пиццы, пепси, и еще Машка попросила себе фруктовый торт.

Дик заметил, что водку тортом не закусывают. Машка махнула рукой.

— Я избавлюсь от этого ребенка, — без всякого вступления сказала она.

— Поговорка, yes?.. — улыбнулся Дик и вдруг все понял.

Машка залпом выпила водки и закурила. Дик с трудом сдержал себя — он знал, что если начнет отнимать у нее сигарету, то Машка стукнет его. Впрочем, после первой затяжки она позеленела и отодвинула от себя пепельницу.

— Мы сделаем свадьба — и уедем ко мне домой, — медленно произнес Дик. — Я не позволю тебе делать глупости.

— Держи карман шире, — Машка посмотрела на Дика так печально, что тот ее не узнал.

...Потом она все-таки поколотила его, и это было очень смешно, потому что Дик был вдвое ее больше, но смеяться ему не хотелось.

Ночью он стоял у окна и машинально царапал ногтем иней. Мороз. Маруся. Russia. На другой чаше весов была Америка и его мечта.

Весной Дик и Маруся поженились.

Он остался в России.

ПЕЧАЛЬНЫЙ ЗВЕРЬ

Bohemian Ballet
(DEEP FOREST)

...Представьте себе прелестное существо двадцати четырех лет — кое-какой опыт и никаких морщин.

Именно «прелестное» — ибо в этом слове заключено все безмятежное легкомыслие нашей героини. Ольга обладала способностью приятно поражать, особенно и в основном мужчин — они при виде ее ощущали укол в сердце и еще долго после того носили в нем саднящий рубец радости и тоски. Она была невысокая, приятной худобы, с густыми тонкими волосами пепельного оттенка, которые вились от природы, прозрачными серыми глазами и смугловато-желтым оттенком кожи.

Словом, это была настоящая хорошенькая куколка, опасная конкурентка тем особам, которые звались почетно «серьезными женщинами»...

Впрочем, совсем уж легкомысленной дурочкой Ольгу нельзя было назвать — она закончила вуз и сумела попасть в одну частную контору, создающую некие программные продукты.

И вот после двадцати четырех радостных и светлых лет Олю угораздило влюбиться. Она влюбилась в человека, который не мог ответить ей взаимностью. Как назло, он был женихом Нины, так называемой серьезной женщины. Вот бы обратить этой Оле свое внимание на кого-нибудь другого, столь же беззаботного и свободного, как она сама, но нет...

Она, например, вполне могла положить глаз на двух прекрасных юношей, работавших в одной с ней комнате, с которыми сотни раз сталкивалась локтями по причине тесноты и с которыми вместе обедала в кафе через улицу.

Юношей звали Сидоров и Айхенбаум, роста они были выше среднего, с чудесными скульптурными затылками и всегда деликатно пахли туалетной водой. Вместе они составляли эффектную пару соблазнителей, эффективный тандем — этакие Близнецы, звездные братья, разные и одинаковые одновременно. Очень образованные, интеллектуалы... Сидоров был рыжеватым шатеном, с яркими и правильными чертами лица — сказались гены дедушки-еврея, вовремя оживившего тихую степную красоту рода Сидоровых, а Айхенбаум являл тип жгучего брюнета, однако ни Ближним Востоком, ни Средней Азией тут и не пахло, это был настоящий европеец, с настоящей немецкой фамилией, которая многих, кстати, путала... Его отец двадцать пять лет назад переселялся из Казахстана в Дюссельдорф, но по пути застрял в Москве, родил от москвички сына, да так и остался здесь. Наша родина там, где нас любят. Сидоров и Айхенбаум дружны были чрезвычайно, что-то внутри их было настолько общим, что они давно, нежно и тайно (по причине мужской солидарности) любили свою коллегу Олю.

Но, видно, ток шел только в одном направлении. Оля могла только сочувствовать Сидорову с Айхенбаумом, ибо сама любила безнадежно, любила жениха Нины...

Нельзя не описать и эту Нину.

Нина была высокой, мощной женщиной, не толстой, а именно мощной, такое впечатление создавалось благодаря ее широким бедрам, со строгим и несколько скучным каре на голове, и изящными очками на чуть красноватом круглом лице... Нине было уже далеко за тридцать, и она серьезно хотела завести семью. Кроме изящных очков, у нее были исключительно изящные руки, и все движения Нины тоже были ровными, мягкими, осторожными, а как она остроумно шутила и к месту цитировала классиков! Настоящая серьезная женщина.

Нина тоже работала на компьютере — в соседней комнате, а ее соседом, в свою очередь, был некий мужчина, которого она, со свойственной ей мягкостью и ловкостью, превратила в своего жениха (в того самого, в которого впоследствии черт угораздил влюбиться хорошенькую Олю). В своих устремлениях Нина была всегда упорна, а когда того требовали обстоятельства — то и жестока.

Однажды в пятницу, с самого утра, в этой самой конторе, где работали сплошь талантливые программисты, морили тараканов. Такое ничтожное событие... Но получилось так, что Оля провела весь день с Ниной и ее женихом, пока ее стол в соседней комнате опрыскивали химикатами. Олин компьютер стоял чуть ли не на голове чужого избранника, она весь день ощущала горьковатый запах сигарет, которые он курил, отчетливо видела каждый волосок его двухдневной щетины, мерцание серебристых себорейных чешуек в складках старомодного пиджака... о, как некрасив и трогательно привлекателен был этот человек, принадлежавший серьезной женщине Нине. Кстати, та после свадьбы надеялась преобразить гениального и рассеянного супруга — чистое святотатство, безусловно... вам бы не понравился пахнущий стиральным порошком, лосьоном после бритья и лечебным шампунем Эйнштейн, Ферми там... и Дима Пашечкин, гордость частной конторы и личная гордость ее президента Платона Петровича Крылова, человека серьезного и ответственного, обремененного большой семьей иждивенцев — жена, две дочери (25 и 23 лет), две незамужние сестры предпенсионного возраста, теща и сестра тещи (ветеран вредного производства).

Дима Пашечкин был красив своей отрешенностью от всего земного. Он со свойственной всем гениям рассеянностью позволил себя охомутать Нине и убедил себя, что любит свою невесту.

Такова вполне банальная предыстория.

Итак, влюбившись в Диму Пашечкина, чужого жениха, Оля потеряла покой, сны ее стали тяжелыми. Несколько раз, не владея собой, она срывалась на кокетство, бессознательно заигрывая с Пашечкиным... О, это было невинное кокетство, вполне допустимое — в виде взъерошивания его давно не стриженных волос, шутливых дерзостей, полуобъятий-полуприкосновений и прочего, на что сейчас уже и внимания никто не обратит. Но Нина сразу же напряглась. Серьезные женщины всегда проницательны. И в шутливой, но достаточно жесткой форме оборвала все заигрывания Оли со своим женихом. Она поступила правильно — ибо Дима тоже начинал что-то чувствовать, и теряться, и даже тосковать...

Свадьбу Нины и Димы собирались отпраздновать всем коллективом.

Центр всех предпраздничных хлопот размещался на территории Димы.

И получилось так, что за неделю до свадьбы Оля побывала у жениха дома. Повод был вполне официальный — передать пятилитровую банку маринованных помидоров домашнего приготовления — Олина лепта в дело свадебного торжества. Могла ли бедная девушка предполагать такую судьбу этим помидорам прошлым летом, закатывая их со своей двоюродной теткой на даче в Осташкове! Нет, не могла.

Это был жуткий для него момент — когда она позвонила в дверь, а Дима заглянул в глазок и сказал: «Сейчас открою». В эти мгновения, когда щелкал железный язычок в замковой щели, он дал себе обещание быть благоразумным...

«О, какие помидоры! Спасибо, — он смешался. Бедняжка тащила такую тяжелую банку! — Может быть... кофе?»

На пыльной холостяцкой кухне в потеках окаменелого жира — скоро, скоро дойдут до нее хозяйственные ручки невесты — Дима вдруг подумал: а что бы было, если бы не существовало в природе интересной женщины Нины? И вдруг отравился этим «бы».

«Тебе с сахаром?» — сумел он еще пролепетать — но ни словом более, ибо в следующее мгновение они непостижимым образом оказались в объятиях друг у друга. «Да...» — едва выдохнула Оля.

И вот они уже почему-то полураздеты, в этом соблазнительном неглиже — на узком платьице из блестящей кожи расстегнуты все пуговицы, и глаз будоражит красное кружево, а концы брючного ремня смотрят в разные стороны... маленькие тайны чужого тела, как-то: родинка под соском, бесцветный шрам после давнего аппендицита, короткие волоски, сцепившиеся друг с другом словно в смертной муке... Его горькое сигаретное дыхание и нежный аромат ее цветочных духов...

Еще чуть-чуть — и о большем уже не надо было мечтать, но в последний момент Пашечкин оттолкнул себя от Оли.

«Нет! Так нельзя!» — закричал он, вспомнив о своих обещаниях Нине. Отвергнутая Оля всхлипнула и выбежала вон...

Так ничего и не произошло.

...Но Оля не могла смириться. Она понимала, сколь опасно бороться в открытую с такой серьезной женщиной, как Нина — ухватистой, жесткой, умной. Поэтому Оля придумала совершенно особый план.

Оставшееся до свадьбы время она шила себе платье. Сама. Из специального выпуска журнала. «Для невест» — назывался журнал.

Вы скажете — безумие, на свадьбе не может быть двух невест, Нина не допустит подобного, вытолкает взашей бедную Олю. Но!

Хитрость в том, что платье не было откровенно белым. Его цвет только *намекал* на торжественную белизну... Оно было нежнейшего, голубовато-серебристого оттенка (внутренние створки раковин, хранящих в себе жемчуг, имеют обычно такой мерцающий, радужный оттенок). Покрой платья тоже был не вполне традиционным — оно было опасно коротеньким, хотя и очень простых линий... Туфельки-«стрипки» тоже колебались на грани дозволенного, крошечный клатч соблазнительно поблескивал перламутром...

Накануне Оля сделала последний штрих. Она покрасила волосы. Впрочем, «покрасила» — это слишком сильно сказано. Оля едва-едва подсветила свои локоны — для окружающих они остались такими же пепельными, но внимательный глаз заметил бы на изгибах дымчатых волн серебристый, перламутровый блеск. Она — и не она. Придраться совершенно невозможно, равно как и не восхититься.

Словом, разве можно из-за каких-то перламутровых изгибов затевать скандал?

Но легкий холодный ветерок — предвестник ураганного гула — дохнул в последнюю майскую субботу на публику районного дворца бракосочетаний, когда в его дверях появилась делегация от конторы программистов.

Не успели за Олиной спиной захлопнуться двери, как сразу же стало ясно, что она затмила всех субботних невест, набившихся в зале предсвадебного ожидания. Смутное вожделение почувствовали даже чернофрачные женихи, а что уж до простых смертных в виде свидетелей и гостей...

Ольга вся матово блистала серебром и перламутром, это сияние шло от ее серых глаз, волос, платья, туфелек, сумочки, лака на ногтях, помады, бабушкиного жемчуга в вырезе декольте. Ее платье было безумно коротким, а каблуки невероятно высокими. Платон Петрович Крылов, почетный гость, целовал Олину ручку дольше, чем изящную конечность невесты... Кстати, сама невеста в стандартно-пышном кринолине с оборками выглядела просто бабой на чайник.

Нина краснела, но пока молчала. Дима смотрел только на Олю, явно ослепленный перламутровым сиянием. А что публика? Впрочем, внимание публики было на время отвлечено другой сценкой — угреватая свидетельница, она же завхоз, напропалую кокетничала с бритоголовым конторским охранником, непонятно каким образом пробившимся в свидетели, и это со стороны выглядело так уморительно...

Оля хотела, чтобы Дима имел возможность сравнить. Ее и Нину. Двух невест на одной свадьбе. «Сделай же свой выбор!» — мысленно умоляла она Диму, фланируя по залу на высоких шпильках. Нина внимательно слушала свидетельницу и была чрезмерно вежлива с Олей.

Тут случилось маленькое недоразумение — угреватая и по-куриному близорукая свидетельница вдруг запнулась о край дорожки и упала. Вернее, не упала, а только коснулась рукой пола — другой она задела Нину, которая стояла непоколебимо... Но из рук Нины выпал свадебный букет. Оля милосердно наклонилась и подняла его.

— Благодарю, — холодно произнесла Нина.

Она не заметила того, что заметили все остальные гости вкупе с женихом, которые стояли где-то позади. А они заметили кружевные белые трусики, на миг сверкнувшие из-под коротенького платья Оли... Все, бывшие ранеными, в тот же момент стали убитыми.

В это время для торжественной церемонии пригласили в специальный зал семью Пашечкиных. И жених с невестой, вместе с гостями и родителями, повалили по ковровой дорожке на последнее действие. «Дима, Димочка! — с восторгом и ужасом думала хорошенькая женщина, семеня на своих шпильках среди толпы приглашенных. — Сделай же свой выбор, не то будет поздно!»

Чиновница в люрексе и лиловых румянах, гремя лаковыми кудрями, произнесла для разминки пару слащавых фраз, а потом прямо в лоб спросила жениха, согласен ли он быть мужем Нины. О, это был апогей, и три сердца трепетали в агонии... что же дальше? Жених, двигая плохо выбритым кадыком, молчал.

Он дрожал весь страшной внутренней дрожью, почти незаметной для окружающих — и только серебристые чешуйки перхоти сыпались с плеч черного фрака, взятого накануне напрокат. Чиновница, улыбаясь соболезнующе, повторила свой вопрос. Пашечкин молчал...

Он с тоской бродячей собаки смотрел на Олю. Он жаждал ее. Он жаждал ее серебристых изгибов, светлых глаз, кружевных трусиков (все же как легко попадается сильный пол). А более всего он жаждал страсти, которая могла открыться для него только с Олей и ни с какой другой женщиной.

Невесту придавила эта царящая в ушах пустота. После минуты молчания — длиной в вечность — она вдруг побледнела и могильной плитой повалилась вниз.

Крик, шум... Тремя секундами позже невесты упала в обморок и Оля — прямо в услужливые объятия Близнецов. Но от радости ведь не умирают?

Первой очнулась Нина. Лежа на чужих руках, она вспомнила все, логически сопоставила мелочи, которым до поры до времени не позволяла себя беспокоить, напрягла и без того изощренную интуицию стареющей девушки — и поняла наконец. Намеков больше не было — одна простая истина. Она прозрела — и увидела соперницу в платье невесты.

— Какая же ты дрянь, — мрачно сказала она в сторону Оли, белой бабочкой трепетавшей в объятиях Сидорова-Айхенбаума. Особенно убивали Нину кружевные трусики разлучницы, шепот о которых наконец донесся и до нее.

И в этот момент окружающие тоже все поняли. Мать невесты напряглась и поддержала дочь:

— Зараза! — веско крикнула она.

— Но это была честная борьба, — шепнула одна из приглашенных девиц на ушко другой.

— Полный нокаут, — согласилась та.

— А если это любовь? — вдруг ни к селу ни к городу решил заступиться за жениха охранник-свидетель. Он тоже был по ту сторону баррикад.

— Предатель! — завизжала свидетельница и швыркнула в него картонной папкой с поздравлениями.

Почтенная контора по созданию программных продуктов мгновенно оказалась расколотой надвое. Разразился скандал. Кое-кто из мужчин принялся закатывать рукава, какой-то даме срочно потребовалась валерьянка, свидетельница визжала, негодуя за всех обманутых невест, чиновница жадно впитывала происходящее.

— Прекратить! Всех уволю! — рявкнул Платон Петрович Крылов, но то был гудок тонущего «Титаника»...

А что жених?

Он был прекрасен в своем молчании, в своей скорби, в своей неподдаваемости суете. Он молчал потому, что хотел сердцем постигнуть истину окончательно, он молчал потому, что не так-то просто в один миг отказаться от своего честного имени, стать подлецом, бросившим свою невесту посреди свадьбы... Оля ждала-ждала от Димы хоть одного знака внимания, но тот молчал. Тогда Оля шепнула звездным братьям:

— Уведите меня отсюда.

И те под руки вывели ее из зала, неверно колеблющуюся на своих шпильках.

За спиной же продолжал бушевать скандал.

Близнецы проводили Олю до ее квартиры.

— Останьтесь, — сказала Оля.

У Близнецов было шампанское.

Они напились шампанского, а потом Оля в своем свадебном платье и на шпильках танцевала соло, вспыхивая всеми оттенками перламутра. Она танцевала странные танцы — вероятно, на какие-то вариации генетической памяти. Ее дикие предки пели в ее крови хриплыми тонкими голосами — животную песню победы, победы без радости.

Ближе к ночи, отчаянно боясь одиночества, она снова повторила:

— Останьтесь.

К тому времени было выпито все шампанское, даже то, которое Сидоров купил в соседнем гастрономе по второму разу. Телефон молчал — и это было зловещее молчание, оно говорило о том, что скандал еще бушует где-то там, и где-то там продолжают рваться струны.

Кровать была одна, но большая, как лесная лужайка.

— Поместимся все, — просто сказала Оля. И Сидоров с Айхенбаумом целомудренно притулились по краям, оставляя своей нимфе теплую серединку.

— Спокойной ночи, — произнесла она, разбавляя пропитанный шампанским воздух запахом цветочных духов.

— Спокойной ночи, — ответили ей Близнецы и попытались добросовестно закрыть глаза.

Среди ночи Оля вдруг проснулась, вся в тихих слезах — ей показалось, что сейчас порвалась последняя струна, и произошло нечто неизбежное, грустное, но вполне заурядное. Неужели она смогла, наконец, разлюбить Диму? Близнецы не спали, они слушали шорох ее слез, падающих на крахмал полотняной подушки...

Рано утром в дверь позвонили, когда троица еще спала. Полусонная Оля побежала открывать — она думала, что это пришел Дима, но на пороге стояла мамаша Нины.

— Разлучница! — проскрипела с ненавистью пожилая женщина. — Гадина!

Оля передернула плечами — от холода и испуга.

— Почему? За что вы со мной так? — пролепетала она. — Я же ничего не сделала...

Да, она ничего не делала. Она просто надела на себя красивое платьице, туфельки, кружевное белье... Но мамаша Нины демонически расхохоталась во весь голос:

— Гореть тебе в аду, разлучница!

На этот вопль, стуча по полу босыми пятками, прибежали Сидоров с Айхенбаумом, полуобнаженные и прекрасные — как молодые боги. Они мгновенно просекли ситуацию и оттеснили Олю вглубь квартиры, подальше от пожилой Немезиды. Сам Канова не поленился бы слепить эти прелестные юные мускулы, эти напряженные икры... а повороты голов, а линии рук, небрежная драпировка простынь!

— Ага, — скрипнула мамаша, оглядывая скульптурную группу в неглиже. — Ага, развратница... — повторила она и поспешила скрыться, держа на кончике языка новую сплетню.

Дима появился у ее дверей только вечером. Пьяный, плачущий, жалкий... «Оленька, я люблю тебя! — пролепетал он. — Давай поженимся, а?» Но Оля выставила его вон. Наваждение прошло.

...Контора после этого события разделилась на два враждующих лагеря. Одни сотрудники сочувствовали серьезной женщине Нине, другие — восхищались хорошенькой женщиной Оленькой.

Танцующей походкой, в ситцевом пестреньком платьице появилась Оля в конце следующей недели в кабинете директора.

— Ну что, Платоша, — нахально сказала она, садясь к нему прямо на стол, — что делать будем?

Она имела в виду ультиматум, который выдвинули некоторые из сотрудников — или она, или мы.

— Поедешь в Петербург, — мрачно ответил он, — поработаешь какое-то время в филиале. Считай за командировку.

Она кивнула кудрявой головкой, потянула г-на Крылова за галстук и поцеловала его долгим поцелуем прямо в административные губы. Не закрывая глаз, Платон Петрович впал в глубокий обморок. Так безнадежно сладко его за последние двадцать лет еще никто не целовал.

— Зайди в бухгалтерию, — замогильным голосом произнес он, не выходя из транса. — Командировочные. Суточные и подъемные...

Кстати, со своим начальником она в первый раз была на «ты».

В Петербург на «Красной стреле» она ехала не одна. Олю сопровождал ее коллега, большой специалист по компьютерным сетям. Поэтому он был очень высокого мнения о своих умственных способностях. Его фамилия была Потапенко. Он являлся прямым потомком того самого писателя, который в свое время соперничал с Чеховым — тоже лишний повод возгордиться, впрочем, если не брать в расчет результатов этого соперничества. У Потапенко в кофре пряталась бутылка дагестанского коньяка. Он давно положил глаз на Олю. Свои сети он раскидывал не только в виртуальной реальности.

В преддверии белой ночи он разлил коньяк по пластиковым стаканчикам.

— Ну, за здоровье...

Оля поощрительно похлопала Потапенко по гладко выбритой щеке и назвала его «пупсиком». «Клюет», — подумал потомок литератора. За «Красной стрелой» в голубых сумерках неслись на крыльях чьи-то легкие тени...

Под утро Потапенко ползал по коридору с пустой бутылкой дагестанского коньяка и собирал галстуком вагонную пыль, тем самым впрямую помогая железнодорожной обслуге. Оля его выгнала из купе «за неприличное поведение». Потомок рыдал в голос и пытался высморкаться в подол мрачной проводницы. Проводница отгоняла его веником...

На берегах Невы Потапенко продолжил свои ухаживания. Он даже грозился спрыгнуть с колоннады Исаакия — если Оля не пойдет ему навстречу...

Но она не пошла.

В разгар белых ночей в Питер приехал Платон Петрович Крылов и сказал Оле, что бросил свою семью —

жену, двух дочерей (25 и 23 лет), двух незамужних сестер предпенсионного возраста, тещу и сестру тещи (ветерана вредного производства).

«Как же ты их всех смог бросить, Платоша? — изумленно спросила его Ольга. — Они же без тебя пропадут!»

«Знаешь, Оля, — задумчиво сказал Крылов. — Я почти тридцать лет жил для них, а теперь хочу пожить и для себя... В сущности, счастливый человек — это не тот, кто живет правильно, а тот, кто живет так, как ему хочется... Чувствуешь разницу?»

«Чувствую», — ответила Оля и поцеловала его. Потом еще и еще... «А ведь он милый, — подумала она. — И он мне нравится!»

Эпилог

Несмотря на разницу в возрасте, союз Крылова и Оли оказался действительно очень счастливым.

Нина все-таки добилась своего и вышла замуж за Диму Пашечкина. На этот раз Дима отвертеться не смог — Нина забеременела и тем самым отрезала гениальному программисту все пути к отступлению.

Сидоров уволился и вскоре уехал в Израиль. Он сам от себя этого не ожидал, но ему очень хотелось избавиться от всего того, что напоминало ему об Оле — от компьютера на работе, от закадычного друга Айхенбаума, от того кафе через дорогу, где они обедали втроем, от сладковато-дымного московского воздуха, от этого акающего говорка, который звучал на каждом углу... Он поселился в кибуце, стал говорить и даже думать только на иврите и целый день проводил на банановых плантациях. Он был всем доволен, и лишь солнце, слишком яркое, иногда досаждало ему. Он написал Айхенбауму, что сделал обрезание.

Айхенбаум получил наследство после смерти своего троюродного дяди, немецкого миллионера, и тоже уволился из конторы. Он решил на одном месте долго не засиживаться и отправился в путешествие по Европе, стараясь ни в чем себе не отказывать. Как-то в Голландии он снял сразу аж трех дам известной профессии... А в Богемии, на каком-то деревенском празднестве, он увидел цыганку. Она была еще молода и даже хороша на любителя — правда, если ее как следует отмыть, в каких-то немыслимых лохмотьях. Она плясала в пыли, у дороги. И что-то знакомое было в ее ломаных, странных движениях... Потом, в Египте, отдыхая после спуска с пирамиды, Айхенбаум вспомнил этот танец и написал пальцем на горячем песке: «Amata nobis quantum amabitur nulla...»[1]

Потапенко купил подержанный джип и женился на внучатой племяннице Мичурина.

---

[1] Возлюбленная нами, как никакая другая возлюблена не будет. *(Цитата из Евангелия.)*

СОДЕРЖАНИЕ

Литературно-художественное издание

МЕЛОДИИ ЛЮБВИ. РОМАНЫ Т. ТРОНИНОЙ

Тронина Татьяна Михайловна

НА ТЕМНЫХ АЛЛЕЯХ

Ответственный редактор *О. Аминова*
Литературный редактор *М. Бродская*
Ведущий редактор *Е. Неволина*
Выпускающий редактор *А. Дадаева*
Художественный редактор *С. Власов*
Технический редактор *О. Лёвкин*
Компьютерная верстка *О. Шувалова*
Корректор *Е. Сахарова*

В оформлении обложки использованы фотографии:
vita khorzhevska / Shutterstock.com
Используется по лицензии от Shutterstock.com,
Sreedhar Yedlapati / iStockphoto / Thinkstock / Fotobank.ru

ООО «Издательство «Эксмо»
127299, Москва, ул. Клары Цеткин, д. 18/5. Тел. 411-68-86, 956-39-21.
Home page: www.eksmo.ru   E-mail: info@eksmo.ru

Өндіруші: «ЭКСМО» АҚБ Баспасы, 127299, Мәскеу, Клара Цеткин көшесі, 18/5 үй.
Тел. 8 (495) 411-68-86, 8 (495) 956-39-21.
Home page: www.eksmo.ru . E-mail: info@eksmo.ru.
Қазақстан Республикасындағы Өкілдігі: «РДЦ-Алматы» ЖШС, Алматы қаласы,
Домбровский көшесі, 3«а», Б литері, 1 кеңсе. Тел.: 8(727) 2 51 59 89,90,91,92,
факс: 8 (727) 251 58 12 ішкі 107; E-mail: RDC-Almaty@eksmo.kz
Қазақстан Республикасының аумағында өнімдер бойынша шағымды Қазақстан
Республикасындағы Өкілдігі қабылдайды: «РДЦ-Алматы» ЖШС,
Алматы қаласы, Домбровский көшесі, 3«а», Б литері, 1 кеңсе.
Өнімдердің жарамдылық мерзімі шектелмеген.

Сведения о подтверждении соответствия издания
согласно законодательству РФ о техническом
регулировании можно получить по адресу: http://eksmo.ru/certification/

Подписано в печать 22.01.2013. Формат 84х108¹/₃₂.
Гарнитура «Оффицина». Печать офсетная. Усл. печ. л. 16,8.
Тираж 7000 экз. Заказ № 540

Отпечатано с готовых файлов заказчика
в ОАО «Первая Образцовая типография»,
филиал «УЛЬЯНОВСКИЙ ДОМ ПЕЧАТИ»
432980, г. Ульяновск, ул. Гончарова, 14

ISBN 978-5-699-61920-7

ГАРМОНИЯ ЖИЗНИ
РОМАНЫ ЛАРИСЫ РАЙТ

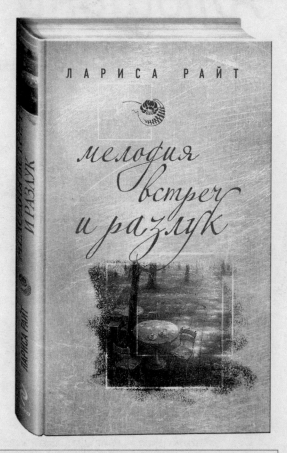

ЛАРИСА РАЙТ

мелодия встреч и разлук

Вся жизнь Ларисы Райт связана с миром слов: по образованию она филолог, знает несколько языков, долгое время работала переводчиком. Романы Ларисы, с одной стороны, оригинальны и не похожи ни на какие другие, а с другой — продолжают традиции русской литературы, которой всегда был свойствен интерес к человеческой душе.

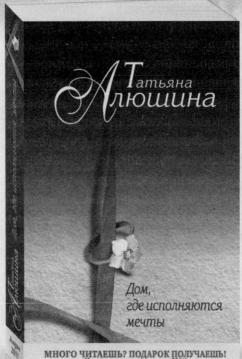